圖書館推廣業務概論

許璧珍 著

臺灣 學生書局 印行

自　序

　　圖書館推廣業務本為閱覽工作之延伸，是圖書館吸引讀者來館閱讀的第一線工作。因應現代圖書館經營理念的不斷更新，推廣業務的範圍也日漸增加，非閱覽工作人員所能完全負荷，乃有推廣部組織之成立，職掌與推廣相關之各項業務。

　　推廣業務的範圍很廣，無常規，無定例，無課程指導，新主事者往往不知從何做起。筆者三年前有機會至推廣部門服務，即思推廣業務到底職掌如何？該從何處着手？經三年時間之資料蒐集研究，並與相關業務參考比較，試為推廣工作尋得蛛絲馬跡，以為業務改進之參考。

　　本書首論推廣業務之意義；次論推廣業務之歷史發展；叁論推廣業務之行政組織；肆、伍、陸章細論推廣活動項目；柒論公共關係對圖書館推廣業務之影響；捌論推廣業務之困境與未來展望。其中，與出納、閱覽、開架、流通、閱讀指導等相關之推廣業務，屬於閱覽基本服務項目；參考服務、館際互借與館際合作雖屬推廣工作，然而牽涉範圍甚廣，皆不在本書討論重點範圍之內。第二章所列之中西圖書館推廣業務之比較，其年代與項目乃以西洋圖書館史、中國圖書館事業史、中國圖書館發展史與史學手冊等書中所記為對照參考。

　　圖書館推廣業務範圍甚廣，筆者見聞陋隘，書出於急就，勉強從事，疏漏闕欠，知所難免，希圖書館界前輩與學者專家，多

I

所匡正,則萬幸矣!

許璧珍　序於民國七十九年五月

圖書館推廣業務概論 目 次

第一章　緒　論

第一節　圖書館推廣業務的緣起

　　為什麼會有圖書館的推廣業務呢？這要從圖書館的功能和它成立的目的來看。早期的圖書館僅注意收藏、保存文化遺產，而忽略了實用性，圖書資料僅供少數人使用。近代圖書館的理念，已跳脫出古代專制束縛的思想而走向更民主、獨立、自由的精神，因此整個圖書館的功能和目標就顯得更活躍。美國圖書館協會在一九四八年發表的圖書館權利宣言(Library Bill of Rights)中，強調圖書館自由的信念，舉凡圖書的選擇及個人使用圖書館的權利不得因種族、宗教、國籍及政治觀點而遭否定或排斥❶。此宣言證明了圖書館的經營理念與民主精神相契合。一九三一年，印度著名圖書館學家阮加納桑(Shiyali Ramamrita Ranganathan 1892-　　)曾發表其著名的「圖書館學五法則」(The Five Laws of Library Science)。主張圖書是為利用的，圖書是屬於所有人士的，每一本書都應有其讀者，節省讀者的時間及一所圖書館是一成長的有機體(Books are for use, Books are for all, Every books its reader, Save the time of reader, A Library is a growing organism)等❷。這項法則更反應出他企圖以圖書館獨立自主的服務精神來振興民族文化及爭取國家的民

主獨立。

　　那麼到底圖書館的推廣業務所指為何？基本上，推廣是擴充圖書館本身的業務範圍以因應更廣大或特殊之需要。近年來圖書館的事業蓬勃發展，推廣工作也日漸增多，為完成圖書館的功能和使命，使缺乏圖書館服務的地方，未曾利用過圖書館的人士，及雖曾利用過圖書館，却未能完全明白圖書館各項功能的民眾，都能被圖書館完善而周全的服務到，各樣的活動於焉產生，圖書館的推廣業務也因此而起。

第二節　　圖書館推廣業務的意義

　　什麼是圖書館推廣業務？推廣業務的意義為何？據藍乾章氏在「圖書館經營法」中論推廣云：「圖書館的推廣實際上即是閱覽工作的擴展，可是此種閱覽工作不一定只限於直接的去閱讀書籍，凡利用演講方式或視聽資料去激發公眾瀏覽研讀有關圖書的措施，都是為了這一個目標：普及成人教育和提高文化水準。」❸鄭恆雄氏在「圖書與圖書館利用法」中論推廣云：「圖書館的推廣服務就是將書（知識）送到社會的每一個角落，使人人都享有讀書的機會和便利，以提高文化的水準。」❹而劉崇仁氏在「圖書館學」中論推廣云：「推廣是圖書館服務讀者的延伸項目。所謂延伸，有兩方面的意義：一是工作內容方面的，一是服務對象方面的。」❺陳晉賢氏論推廣云：「圖書館推廣事業的意義有二：第一，是指工作的範圍而言；第二，是指推進服務的各種活動與方式。」❻章以鼎氏論推廣云：「圖書館的推廣，實際上即是閱覽工

作的擴展，也就是將圖書館的服務地域（館所）、服務項目（館務）、服務對象（讀者）加以推廣，使圖書館的服務能從過去保守的、被動的做法，邁向積極的新境界。」❼

　　綜合以上諸定義，論及圖書館的推廣業務，可歸納為：

　　一、推廣基本上是閱覽工作的擴展。

　　二、論及推廣的對象及範圍。

　　三、論及推廣的內容和活動方式。

　　四、論及推廣的目的——乃為普及成人教育和提高文化水
　　　　準。

　　「圖書館學辭典」中論及推廣活動(extension work)云：「圖書館向一些不熟悉圖書館的群眾組織主動提供服務，叫作推廣活動。」❽這裡提到推廣的對象乃是「不熟悉圖書館的群眾」，也論及圖書館的服務方式是「主動」的。而「圖書館學大辭典」中論及圖書館推廣事業(Library Extension)云：「圖書館不僅為藏書閱覽之地，亦且為休閒教育之娛樂場所。現今圖書館事業日漸發達，圖書館勢力範圍亦日漸擴充，駸駸乎與學校制度並駕齊驅，成社會上獨立之機關，其勢力所及，影響非僅及青年學子且已進至全社會之民眾，無老無幼無貧無賤、無賢愚不肖、無盲啞殘病俱得領受圖書館教育，此種事業異常博大。」❾這個定義提到了圖書館的社教功能，也因此社教功能而必須負起對社會大眾的教育責任，更解釋了圖書館的服務之所以必須推廣的原因，及服務對象的擴大。唯活動方式及內容並未提及。

　　圖書館推廣服務(Extension Library Service)按英文字義是指圖書館服務的延伸，既說「圖書館服務」，就不單指「閱覽工

作」。圖書館服務基本上包括兩大項：一是指圖書館的技術服務，包括資料的徵集，一般及特殊資料的組織、整理等。二是指圖書館的讀者服務，包括閱覽、參考及推廣等工作。狹義的來說，推廣確是讀者服務中的一環，由最基本的閱覽工作延伸到參考，再延伸到推廣。而近年來談圖書館推廣，項目已逐漸趨向繁雜和多樣化。以前認為不可以的，現今因民智開放，教育水準普遍提高，社會參與性強而漸漸的都成為可能。例如技術服務中的資料徵集已由傳統的官方（或館方）蒐集導向，進步到以民意需求為導向，圖書的介購、選書委員會的成立，讀者的參與性非常的強。另外對分館的擴充及對小圖書閱覽室的支援，編目卡片的代印製，也是圖書館業務推廣的一部份。此外公共關係的建立、宣傳的活動、經費的籌措、民意的認可、多媒體及資訊電腦的應用，圖書館推廣業務已不單單是閱覽工作的延伸，它是整體圖書館服務的延伸。而這項服務必須根基於圖書館的使命和功能——為保存文化遺產、教育社會大眾、傳佈知識消息、倡導休閒活動上。因此廣義上來說：凡為擴展圖書館服務的範圍、對象、內容，使其能達到圖書館的功能和使命的種種活動，皆可稱為圖書館推廣業務。

附 註

❶ 中國圖書館學會出版委員會編，圖書館學。（台北市：台灣學生書局，民國 63 年），頁 45。

❷ 同❶，頁 80。

❸ 藍乾章，圖書館經營法，四版。（台北市：撰者印行，民國 67 年），頁 307。

❹ 鄭恆雄，圖書與圖書館利用法。（台北市：行政院文化建設委員會，民國 73 年），頁 106。

❺ 同註❶，頁 400。

❻ 陳晉賢，「圖書館推廣事業」，中國圖書館學會會報，第六期（民國 45 年 8 月），頁 6。

❼ 章以鼎，「圖書館推廣服務」，彰化縣發展圖書館事業研習資料專輯，（民國 75 年 10 月），頁 56。

❽ 楊若雲主編，圖書館學辭典。（台北市：五洲出版社，民國 73 年），頁 125。

❾ 盧震京，圖書館學大辭典，台一版，（台北市：台灣商務印書館，民國 60 年），頁 454。

第二章　圖書館推廣業務發展探微

第一節　西洋圖書館史中的推廣業務

　　圖書館的起源未能確知，但早期的圖書館大約有四種類型❶。一、寺院圖書館：將神學典籍收藏於神聖處所，由僧侶管理，只有寺院裏的高僧有權使用。寺院圖書館僅為少數人所有，為少數人所管理，為少數人所使用。二、政府檔案：當法律的制度，戰爭的記載，統治者的世系，王朝的歷史等資料併入政府檔案之後，嚴肅的文件增加了文學的成份，記於泥版(clay tablet)上，或書於紙草紙及羊皮紙上。這些不同的文獻保存了當時政府的主要動態，為未來的歷史奠下了基礎。三、商業檔案：凡與商業有關之財產、貨品買賣、稅金與捐贈之紀錄、僱員與代理商之信件往返等，此類商業檔案類似後世之專門圖書館。四、私人圖書館：大凡私人財產的所有權、繼承權、遺囑、契約、售賣手續、家畜、奴隸的清單、宗譜、婚契、信件、案譜等家庭式圖書館。此外關於著作權的問題亦有記載。當抄本流行之際，常有偽作與原作之魚目混珠。若權威或正統的經典受到「嚴密」的保管，則可使辨正偽。早期的西洋圖書館以保存為其目的至為明顯，若以上古、中古、近代三個階段來看西洋圖書館的發展，便可窺見其服務的演變及推廣應用觀念的漸進。

一、上古時代圖書館的推廣業務 （約 5000 B.C.-525 A.D.）

有關上古圖書館的記載，資料非常有限，大約以巴比倫、亞述、埃及和希臘羅馬的圖書館為代表。在公元前三千年左右，圖書館在美索不達米亞平原已相當的普遍，且經過妥善的編排、保存。但巴比倫的讀者尚未能享受「開架式」之便利，資料由館員代為索取。（現代亦有人將開架式閱覽列為推廣項目之一，足見開架式觀念之不容易。）另外亞述人之圖書館規模宏大、編目完善，其資料按主題編排，而且很明顯的曾開放予民眾閱覽。這一點由作為「目錄」所用之泥版磨損嚴重，足以證明當時曾被經常查閱。

公元前六六八～六二七年，亞塞班尼波（Assurbanipal）之圖書館亦曾開放給學者使用，包括有公職者及平民❷。寺院的另一重要職務是作為訓練書記人員之學校。（這一點也符合現代圖書館推廣社會教育之功能）此外，古埃及圖書館創造、延長和保存了「西方文明搖籃」的埃及文化；圖書館員的主要任務是負責保存文籍、教授生徒。而希臘社會中，圖書館及館員之職份亦甚為重要，他們擔負了創造和保存該時期文化的主要任務。關於羅馬公共圖書館的藏書，一般規定只限在館內閱讀，有勢力者偶亦可將書卷借出館外。

綜觀上古圖書館的業務發展，資料的蒐藏、保存為其主要的目的，只有少部份開放使用。以現代圖書館的功能來看，上古圖書館只達到「保存文化遺產」這項功能。而真正的推廣業務，除了部份的開放閱覽及訓練人員等社教功能外，幾乎沒有。

二、中古時代圖書館的推廣業務 （約 500 A.D.-1500 A.D.）

中古時代的圖書館，真正地完成了圖書館多種功能中的一項

——「保存」文籍，但是更重要的效能——傳佈知識却未能實現，圖書資料仍僅供少數人使用。

　　中古時期回教世界的第一個中心為大馬士革(Damascus)，約於公元六九〇年設宮廷圖書館，並開放給認真從事研究之學者及學生使用。公元八一三～八三三年，阿瑪蒙大帝在位時，於巴格達的學術院設有圖書館，開放給世界各地的學者研究。

　　而早期基督教的發展，對保存及應用文獻亦有密切的關係。修道院圖書室的書籍常有出租及典用者。通常書籍只借給修道院內的人員使用，且限定一次只得借用一卷，或只限白天借閱。亦有一些允許長年借閱的。若借給院外人士，通常需抵押，以同等價值的書卷作抵押品或付押金。在圖書館的借閱規則中有一例即稱：凡未能提出適當及充足之保證者，不得借閱，所管理之書籍亦不得因任何理由遺失或毀壞❸。修道院圖書館在中古時代前期，在保存文化遺產上一直扮演著很重要的角色，直到第十二世紀時，大教堂圖書館取代了修道院圖書館的地位；其後不久，兩者皆被中古時代的大學所取代。

　　中古時代的大學，使圖書館的功能不僅限於保有古籍，且能推廣應用。大學出現在第十二世紀末葉。索邦圖書館在第十四世紀初期的使用規則尚稱開明，其藏書僅限於館內閱讀，若需將書籍携出室外，則應在當天歸還。除本校師生之外，其他人士欲借書至館外閱讀者，須付與書價相等之押金❹。牛津大學的總圖書館，至公元一四一一年時開放閱覽，由星期一至星期五，每日五小時。此項措施促成了館務的發展。一般各大學的借書規則大致相同：期限約一月到一年，逾期者須繳罰金等。一般參考書及較

珍貴的書籍，皆用鏈鎖住。早期大學圖書館在許多方面是直接承襲修道院和大教堂圖書館。其主要的不同處，是大學圖書館的藏書較被充份使用。修道院圖書館曾保存人類的知識達一千年之久，而大學圖書館則使知識發揮作用，因而導致中古時代之結束及現代之開始。

另外中古時代的私人圖書館亦不僅是庋藏書籍，更重要的是將書籍有效地推廣應用。意大利的商人及王子皆歡迎學生、學者、作家、詩人與音樂家借用其藏書。綜觀中古時代的圖書館已較上古時代圖書館有長足的進步。中古時代末期，即十四、十五世紀間，有的圖書館將藏書分成兩部份，一部份開放給一般讀者，另一部份受限制──將書籍(較珍貴的或使用最多的)鏈繫於架上，鏈之長度足使讀者將書籍置於桌上閱讀，或直接將書鏈於桌上，於是有「書輪」及「圓桌」之設計，方便讀者站在原地即可依序閱讀圖書。另外館際互借在中古時代即已實施，鄰近的圖書館，通常能互借書籍以抄繕複本，或僅供閱讀之用，有時相距甚遠的圖書館，偶亦能互借❺。

中古時代的圖書館，其保存的任務仍重於利用。雖然圖書館在業務的推廣上有新的發展，如開放閱覽時間的延長，閱覽對象之擴大，閱覽方式的推陳出新，但畢竟是關卡重重，諸多限制，非尋常百姓可及也！

三、現代歐洲圖書館的推廣業務 (約 1500 A.D.以後)

(一) 國家圖書館

與中古時代藏書量極少的情況比較，歐洲圖書館在公元一五○○年以後的成長極大。印刷術的發展，使書本的數量增多，售

價更廉，識字率增高，曾經閱讀和被應用的書籍亦增多。在現代歐洲各種圖書館中最為特出的，是設在各國首都成長快速的國家圖書館。一八四九年，俄國帝國圖書館館長柯夫伯爵，曾將館藏公佈予民眾，以引起民眾的關注；是以該館館藏有所增加，且曾推廣應用。總而言之，歐洲國家圖書館藏書量大增，且妥善編目、保存，在整體上是一項文字形式的珍貴遺產，圖書館的功能使此文化遺產得以保存，只是尚未開放給予民眾使用。

(二)　大學圖書館

歐洲大學圖書館的興起，不僅分擔了國家圖書館所應擔負的任務，在知識的傳佈、推廣應用上更發揮了圖書館的功能。自第十六世紀至第十九世紀期間，歐洲各地的修道院先後被關閉，很多藏書最後皆轉入大學圖書館。這些書籍被存入開放使用的圖書館中，得以推廣應用。歐洲大學圖書館在業務推廣上有幾個重大的突破：

(1)　開放給民眾使用。匈牙利在一九五六年頒佈「匈牙利圖書館法」，其目標在協調全國圖書館的活動，將其全部設備提供民眾和教師、學生使用。此外，捷克、南斯拉夫與荷蘭阿姆斯特丹的大學圖書館所服務的對象，皆包括一般民眾與大學生。

(2)　開架式書庫的設置。一九六三年在英格蘭的約克大學，設有開架式書庫，館內設有書店，並有閉路電視將資料傳送至教室或辦公室中 ❻。其他大學採用開架式者已漸普遍，只是採用閉架式者仍較開架式者為多。大多數的圖書館皆准許將書籍借出館外使用，但各館通常亦有或

多或少的書籍不得外借。

(3) 館際合作的開始。第二十世紀，因第一次與第二次世界大戰，圖書館及其藏書遭受鉅大破壞，只有若干珍貴寫本及早期印刷本因疏散至安全地區而得以保存。西德和西柏林境內的十八所主要大學圖書館，為了要恢復戰時的損失，實施合作採購外國資料，採取自由政策和施行館際互借以解決問題。荷蘭的四所州立大學圖書館與皇家圖書館經常有密切的學術合作，有圖書館的網狀組織和館際互借。瑞典的各類型圖書館，包括公共圖書館、大學或獨立的學院圖書館皆有極密切的合作。各公立圖書館所藏的書籍，任何人皆可經由郵遞或館際互借的方式借閱。

自公元一五〇〇年以後，歐洲各大學圖書館在保存和發展西方文化遺產方面，擔任了極重要的角色，大學圖書館一直是舊思想的寶庫和新思想的泉源，在圖書館推廣業務的觀念和技術上，有相當新穎的突破。

(三) 公共圖書館

歐洲一五〇〇年以後，大學圖書館與私人圖書館皆開放予民眾使用，而公共圖書館，至第十九世紀後期，始在歐洲出現，至二十世紀才充分發展。歐洲公共圖書館的推廣業務有顯著的進展，活動方式也日趨多樣化。

早在一七五〇年，英國即有所謂的「租借圖書館」出現❼，為一般民眾提供通俗性讀物，凡有能力付出為數甚少之租金者，皆可租閱。至一八〇〇年，「會員圖書館」就已經很普遍了。會員圖

書館(Subscription Library)❽發展於第十八世紀後期，是由較早期一種非正式的「圖書館俱樂部」自然演變而成。在一個社區中，一羣較為富裕的讀書人，組成「學術研討會」或「讀書會」，並設一圖書館，專供會員使用。圖書費按月或按年度繳付。館內書籍比流通圖書館所藏者較具學術性。另有一由善心人士和慈善團體組織成的「機械工人學會」❾，專門照顧那些無力擔負會員圖書館費用的工人和小商人，設立圖書館提供職業性的、小說和較通俗的非小說書籍，且僅收少數的租閱費用。這些都是免費公共圖書館的先驅，此類圖書館對服務觀念的提倡，和對民眾閱讀能力的培養，其作用是不可忽視的。

　　十八世紀的初期，歐洲各地僅有少數的公立「民眾」圖書館成立，各館僅有為數不多的書籍出借，且大部份為消遣性讀物，圖書館設在偏遠地區，每週僅開放數小時，借書者也只是一部份人，且多為成年人。在一般人的觀念裏，圖書館是屬於學術研究的，只有學者才能使用。因此早期公共圖書館的發展分成「公共流通圖書館」與「公共研究圖書館」兩個系統，以供不同人的需要。至第十九世紀，公共圖書館的發展已具有現代化的模式。

　　一九三〇年代的法國，除公共流通圖書館之外，尚有兒童圖書館、圖書巡迴車、圖書館分館、工廠圖書館以及專為在運河及諸水流域居住和工作的家庭所設立的艇上圖書館。巴黎市則將大多數民眾圖書館予以擴充，遷入較大的書室或獨立館舍，並成立公共圖書館協會以促進圖書館的服務。在若干較現代化的城市圖書館內，除兒童室外，尚有青少年閱覽室、唱片欣賞室和民眾集會室。

　　英國的現代公共圖書館始於一八四七年，其在設立分館、使用圖書巡迴車、提供郵寄資料、使圖書館服務及於醫院和其他機構，並與一般圖書館合作等方面皆是先驅者。英國公共圖書館的一項特徵，是由設在倫敦的國立中央圖書館提供服務，該館於一九一六年創立時，提供成人教育班使用的「學生中央圖書館」至一九二七年擴大其規模，服務對象亦推廣至全國各級學校的學生，並成為館際互借的樞紐。另一項特別的服務是發行「全市通用借書證」，讀者可在倫敦任何一所公共圖書館憑證借書。至一九六〇年，百分之百的英國民眾皆可享受公共圖書館服務。

　　在德國的每一個州，皆有一圖書館總館來協調州內的公共流通圖書館，並應用公款支助在工廠、礦廠、醫院、監獄甚至大型百貨公司內設立圖書館。一九三四年，蘇俄除了一般公共圖書館外，在工廠、集體農莊、大規模工程計劃的營地上，甚至橫貫西伯利亞的火車上皆設有圖書館。在軍營中、在海軍的艦艇上，以及任何有多數工人或民眾聚集的地方，皆有圖書室。蘇俄很多的圖書館是設在鄉鎮公所的廳中或工人休息室裏。波蘭一九四六年，設計了一項全國性的公共圖書館系統綱要：在各大城市中設總圖書館，在其郊區和鄉鎮設分館，在村里和工廠中設閱覽室，在農村地區則設傳遞站，在農村地區並有讀書會和讀書俱樂部以提倡閱讀。一九二〇年，保加利亞的圖書館在一般成人教育中，曾擔負一份任務並曾應用到廣播和電影。惟這些圖書館服務皆收取費用，成為圖書館的主要收入。捷克在一九五九年設有圖書館供閱站六萬處，並採用圖書巡迴車和郵寄圖書館以服務邊遠地區。一九一九年，大多數荷蘭公共圖書館即採用開架出借制，其

模式更趨向英美圖書館系統。挪威一九一〇年，有巡迴書櫃將通俗讀物運至人口稀少地區，以供漁民和工人閱讀，且為農村學校的兒童提供補充讀物。第二次世界大戰後，瑞典的圖書館在全世界應列入最佳者，其圖書館有兒童部和盲人部，視聽器材已充分的使用，有電影片、唱片和錄音帶等出借，並有教育性的無線電廣播和電視。

綜觀十五世紀以後的歐洲公共圖書館，在前四個世紀是被漠視的，最後一世紀始見進步。當民眾逐漸打破「圖書館是專為學術研究」的觀念以後，各種不同人、時、地的需求，大量傾向圖書館而來，許多活動方式被開創、試行。美國式的圖書館服務亦被應用，這些努力都為歐洲公共圖書館開創另一新的里程碑。

㈣　專門及私人圖書館

歐洲專門圖書館的業務在第二次世界大戰後，有蓬勃的發展。意大利兒童圖書館服務中一項有趣的現象是──創設「公園圖書館」，在較暖和的季節裏露天開放，唯讀者並不僅限於兒童。法國的「好時光」圖書館創立於一九三〇年，是一所模範少年圖書館。法國尚有遍佈於全國各地的軍人圖書館，蒐集一般書籍以供普通士兵或海員閱讀。法國軍中設圖書館始於大革命時期，現在每一兵營或艦艇上皆已設置。

世界上最重要的專門圖書館中，有若干所是設在英國。國立盲人圖書館率先為大英各地盲人讀者提供有聲圖書和布雷爾（Braille）點字書籍。英國在一九四四年通過的教育法案中，已注意到學校圖書館及現代視聽器材的重要性，圖書館是教學資料中心的觀念亦已普遍。在愛好圖書館的蘇俄，專門圖書館是最重要

的一部份。小學學童須接受圖書館使用法的指導,在中學裏,圖書館更為適用,在圖書館內閱讀已成為課程的一部份。在斯堪地那維亞各國的醫院和公共福利機構中,皆有小型的專門圖書館設立;唯住院者及病人所需要的通俗性讀物則由公共圖書館提供。此外,歐洲私人藏書家所貢獻予社會者亦不容低估,他們的藏書主題通常較偏狹而精美,保存完善,只是一般民眾不常有機會閱讀。

(五) 小 結

十五世紀以後的歐洲圖書館,就印刷本書籍的保存而言,已將達到最高目標,但就圖書館的服務觀念來看,圖書資料的被利用,在十九世紀以前仍僅止於少數人——藏書家、圖書館員、教師、學生、學者等。在十九世紀末葉以前,很少有民眾教育,民眾沒有閱讀能力之前,對書籍和圖書館的需求極少。直到十九世紀末葉,二十世紀以後,大眾文化和民眾圖書館的觀念,才逐漸興起。無論大學、公共或專門圖書館的業務也跟著推廣開來。就圖書館的功能而言,在保存文化遺產之外另加了知識的傳遞、教育大眾及倡導休閒娛樂的功能,圖書館是真正與民眾結合在一起了。

四、美洲圖書館的推廣業務 (約 1607 A.D. 以後)

(一) 殖民地時期(1607-1775)

殖民地時期的學院圖書館藏書甚少,且幾乎完全得自捐贈。書籍不出借,只有教員應用館藏,學生們一般仍只依靠教科書及課堂筆記。館務由教員兼理,每週僅開放數小時。

公共圖書館方面,一七〇〇年代提供民眾閱讀的教堂圖書館

確已存在，有許多牧師在遺囑中皆提及將藏書捐贈教堂，以供民眾閱讀。十八世紀時，提供書籍給一般讀者最成功的方式，首推會員圖書館（參見歐洲公共圖書館業務），會員圖書館以會員繳納的會費採購書籍，提供會員使用；每週僅開放數小時。會員有權借書至館外使用，非會員則僅准許於開放時間館內閱讀。殖民區中，私人圖書館也在某種情形下，將書籍借予認真的讀者使用。

(二)　大學院校圖書館

美國學院和大學的現代圖書館，事實上是在南北戰爭以後（十九世紀末期），才開始發展。南北戰爭以前，各州的學院圖書館皆甚小，開放供學生使用的時間，每日僅數小時，甚至每週僅數小時者；並無吸引或歡迎學生來館閱讀之意。大多數學生皆不使用學院圖書館，而依賴教科書、課堂筆記或學生社團圖書館（學生社團圖書館實較學院圖書館為優）。各校圖書館服務的方式逐漸在改變中，如開放的時間延長，目錄的改善，對學生及教職員服務效率的增進等。

在一九二〇年後，新的教學法要求學生多應用圖書館藏書，教師們對圖書館藏書的選購亦漸多關注。一九三〇年後，藏書量激增，遠非館內空間所能容納，於是開始研究縮小資料體積的方法，複製、縮影片等因而發行。圖書館的合作採購、聯合書目及館際互借的實施，更使圖書館合作範圍擴大。二次大戰結束後，各大學院校圖書館的發展，已達前所未有的程度，不僅藏書增加，且在校內地位亦大為提高。

一九五〇年，非書資料的使用增加，迫使學術圖書館須擴大其領域，蒐藏各種視聽資料，並配合開架式服務使讀者儘可能地

容易接觸館藏資料。一九六五年通過的高等教育法，撥款予各學院圖書館作為充實設備、訓練人員及研究圖書館管理之用，影響圖書館發展甚鉅。一九六〇年，OCLC（Ohio's College Library Center）應用電腦設備，提供圖書館多方面的合作計劃，以電腦、電訊打字、閉路電視等先進技術以提供圖書館服務、採購、流通並合作編目的電腦化。二十世紀的美國大學圖書館，其業務推展又與資訊發展同步，密不可分了。

（三）　公共圖書館

　　現代圖書館運動的真正開始，是由於美國各州通過法案，使地方行政單位得繳稅以維持公共圖書館的經營。在一八五〇年以前，尚未有免費的公立圖書館設立。肇始於一八三〇年代的學區圖書館（School Distric Library），可視為公共圖書館服務的早期嘗試。在伊利運河（Erie Canal）興盛達三十年的「書船」（Book Boat），往返於奧爾班尼市（Albany）及水牛城之間；每次在碼頭繫舶的時間，短則數小時，長則數日，出租的書籍內容龐雜，酌收租閱費❿。於一八四九年設立的「菲斯克免費圖書館」，開放予民眾使用，唯其藏書僅限於館內參閱，並不出借。一八七五年，商業圖書館發展起來，這些圖書館兼辦教育活動：如成人教育班、民眾演講會、交誼室、健身房等。若干類圖書館各在其不同的地方及範疇內提供盡可能的服務，直到免費公共圖書館興起後很久始告絕跡。

　　十九世紀後期，兩種特殊的民眾圖書館興起，對公共圖書館的發展，並無直接關係，但曾使民眾可得而讀的書籍有所增加。第一種是「主日學校圖書館」（Sunday School Library）。大部

份教堂，特別是設在東北部及中西部者，皆附設一小型圖書館，稱之為主日學校圖書館，提供信徒及其子弟使用。在無其他書籍可讀的地區，主日學校圖書館的藏書讀者甚多，曾經提供有意義的服務❶。第二種是「鐵路圖書館」的設立。鐵路圖書館有三種類型：第一類是專為員工使用的工業圖書館，以後發展為專門圖書館；第二類是為員工及其家屬設立的通俗圖書館；第三類是在某些路線上設立以供旅客閱讀的流通圖書館。這兩種圖書館雖無公共圖書館之名，却有公共圖書館服務之實，為圖書館推廣業務之一。

　　第一次世界大戰爆發，公共圖書館的發展延後，但在營區、船艦上及海外為軍人設立的圖書館，在美國圖書館史上產生了深遠的影響。許多士兵及水手在服役時，已養成使用圖書館的習慣，退役後對讀書及圖書館興趣更高。在兩次世界大戰期間，促進公共圖書館發展的另外兩個因素是公共圖書館標準的擬訂和圖書館學院系的成長。在戰爭時期，公共圖書館對民眾道德的維護，在工商業、成人教育及一般的服務方面，其作用皆不容低估。戰後，公共圖書館旋即恢復正常狀況，並展開新設分館、新建館舍及新增服務項目等計劃。公共圖書館內設兒童閱覽室、青少年閱覽室等；對於老年民眾，則在館內設寧靜的閱覽處所，以供退休老人們遣其閒暇。另外尚有其他羣體需要圖書館不同的服務：如有組織的勞工、盲人、醫院、獄中及其他公立機構中者。近年來，且須顧及不同文化背景者之需要。

　　圖書館的服務永無止境。雖然有許多問題尚待解決，但民眾的支持却是最大的幫助。此外，電視的普及，此種新的媒體旋即

成為圖書館的一大資產，不僅可以作公共關係的工具，如新書評論、新的服務項目介紹等，並且可應用閉路電視，提供出入口及偏僻角落的監視。美國的公共圖書館隨著時代成長，不斷地作自我調整，以適應迅速變遷的各種需要。自二十世紀以後，圖書館的進步頗為可觀。

(四) 學校圖書館

在一九○○年以前，兒童圖書館的服務甚為缺乏。在南北戰爭之前，除教科書外，兒童讀物很少。而立法，對學校圖書館的發展，影響甚鉅。加利福尼亞州於一八五四年及一八六六年，均曾通過圖書館法案，由州政府補助學校圖書館建立適合的圖書總目。維吉尼亞州根據一八六七年及一八七○年所通過的學校法案，准許設立學校圖書館，但却不提供經費，是以在一八七五年時，亦無一所設立❷。各州及地方政府對學校圖書館的支持和提倡，才是促進學校圖書館進步之最主要因素。

一九二○年以後，理想的學校圖書館漸多，新的圖書館服務項目發展亦快。在經濟不景氣時，亦促成了公共圖書館和學校圖書館的相互合作。方法之一，乃在縣政府所在地設立一公共圖書館，由該館提供圖書，輪流在轄區內各學校存用。另一系統，是在各學校中設立永久圖書館，而藏書則由公共圖書館總館統一購買及編目❸。

在一九五○年代及一九六○年代，學校圖書館輝煌發展的另一方面，是小學圖書館的數量有了增加；另外傳統的教室圖書館（Classroom Library）由學校的總圖書館所代替，而受過專業訓練的圖書館員，亦加入小學教師的行列。一九六五年以後的十年

間，是美國學校圖書館有史以來發展最快速的時期。在此一時期內，教育資料中心取代了學校圖書館，凡是教育所需要的資料及設備，中心內皆應有盡有，圖書館的推廣業務也邁入一個新的方向。

(五)　專門圖書館及其他

美洲除了公共、大學院校、學校等圖書館的發展外，另有一種專為特殊對象而設的圖書館，在十八世紀末、十九世紀初逐漸發展開來。從南北戰爭以後，美國軍方即計劃為全體現役人員提供圖書館服務。一八六一年，聯邦軍事據點圖書館協會成立，為在營軍人提供讀物。一九二〇年以後，每一據點、營區及兵站皆已有圖書館及專任圖書館員。第二次世界大戰期間，更發展成廣大的軍用圖書館網狀系統。只要有軍人駐紮的地方，無論是訓練中心、永久基地、海軍軍艦、海外或醫院皆有書籍閱讀。大規模的圖書館藏書至數千卷；最小單位則有包裹圖書館，內有平裝書籍五十卷至一百卷，傳閱至磨損報廢為止。為了配合廉價版的需要，出版商遂發行軍用版的通俗及嚴肅讀物。戰後，這些軍事圖書館仍繼續其任務，在國防計劃的各層面，提供技術性、職業性及娛樂性的讀物 ❹。(軍事圖書館的發展可參見歐洲公共圖書館中蘇俄軍營，及法國軍人圖書館的記載。)

此外美國國會圖書館設有全國盲人圖書中心，將盲人書籍交由各州圖書館存放，以供各地區盲人使用。養育院、監獄及感化院亦有藏書，供願意閱讀者使用，此類圖書館的藏書幾乎全得自捐贈。專門圖書館因館藏內容的特殊，或服務對象的特殊，已在全球各地發展開來，其多樣性且深入的推廣活動，正為圖書館史

寫下新的一頁。

(六) 小 結

綜觀美洲圖書館的發展，在十九世紀時，美國已經有了大規模的圖書館。至一九〇〇年，美國的圖書館數量之多，規模之大，應用之廣，皆為世界之冠。各種規模和類型的圖書館，皆可能建立。各級政府，各種學會、學校和學院、個人、公司等皆設立圖書館，且圖書館皆免費為民眾開放。這些圖書館是為了提供應用而建立，而不僅是為了保存⓯。在西洋圖書館史的發展上，美國圖書館的推廣業務，開了一朵璀璨的花。

第二節　中國圖書館史中的推廣業務

我國舊式圖書館的型態，大概可分為三類：宮廷藏書、書院藏書及私家藏書。但是，這些觀閣的開放對象泰半限於宗室、宰臣及士子，並不公開給一般民眾。清高宗於乾隆五十五年（一七九〇年）諭令存放四庫全書的文滙閣、文宗閣、文瀾閣開放閱覽，凡士民中有願讀中秘書者，准其入內檢視抄錄，並詔諭官吏不得勒阻留難，其開放對象已普及於一般人民。另書院圖書館，它的性質亦由原先的檔案館轉變成學術研究機構。宋代的書院大都有豐富的藏書，且多數公開供人查閱書籍，其後，由於經營不善，藏書數量不斷減少。私人藏書在我國起源亦早，然因書藏係個人精力所蒐羅，往往不對外公開，或者限制閱覽。

以上所述之公私藏書館閣，多數只是經營珍本儲藏之所，而不是傳佈有用的書籍於民間的樞紐。這就是以往把圖書館叫做藏

書樓的緣故。真正將圖書館當作一種啟廸民智的教育機構和社會事業辦理，還是近代受到西方力量影響後的產物之一。國人對近代圖書館的認識，自十九世紀中葉始見端倪，却歷經五、六十年的醞釀，直到二十世紀開始前後，才真正有意識的將圖書館視為一種教育機構❶。

一、清以前圖書館的推廣業務

我國古代藏書，淵源甚早，雖無圖書館之名，却有圖書館之實。到底我國最早的圖書館起源於何時呢？胡應麟認為我國的書籍，是始於伏羲及黃帝時代❶，而殷商遺址上所發現的「窖」，其實已有圖書館的雛型了 ❶。刻載於龜甲或獸骨上的甲骨文記載著殷王田獵、求雨、祭祀及問吉凶等事，乃為古代最原始的圖書雛型。就內容來看，多是與邦國大政有關的記載。殷代有藏書是可信的，而這批藏書也確為周代守藏室的前身。

周代守藏室為古代典藏圖籍之所，李耳為柱下史，後人稱其為我國古代國家圖書館館長。周代藏書，雖有各種不同的資料，却都基於國家政事需要而典存，其利用方面亦然。

漢代圖書館有極輝煌的成就。漢代立國之初，對於圖書典籍，廣為蒐藏；不僅帝王重視、臣儒努力，且妥為整理、善加利用，奠下圖書館良好的發展基礎。漢代有四個著名的藏書處所：石渠、天祿、東觀、蘭台。其中尤其東觀藏書豐富，當時學者皆在其中利用，從事史籍撰述及校書；乃在君王之外，另開方便之門，使圖書館藏書發揮其效用及功能。

魏晉南北朝圖書館的主要成就，是在資料整理，編著目錄方面；不但所編目錄數量眾多，在分類體系上尤有突破性的發展。

建立四分法與七分法，影響到一千五百年後的今天，然其在資料的推廣利用上，仍不出君王、臣儒等少數人而無法及於百姓間。

　　隋唐時代的圖書館，很注意圖書的蒐藏，數量之多，超越前代。隋有嘉則殿，唐有秘書省、弘文館、集賢院及宗文館等。所藏之書，妥善整理，分四庫，以有色軸籤區別之。私家藏書亦盛，聚書頗多，與官府藏書，互補有無，相得益彰，又供後生子弟為業。隋唐的圖書館事業雖於蒐藏整理資料有功，然於圖書之推廣利用仍礙於前朝代之傳統，僅止於少數人之閱覽使用。

　　宋代廣置館閣，藏書也隨著增加。諸多館閣中，則以崇文院為主要處所。宋太宗修建崇文院，使其「可蓄天下圖籍，延四方賢俊」，因此崇文院不只具有一般圖書館之功能，亦可使「羣儒受詔，有所論撰」❶❾。

　　元明兩代藏書，大抵以前代舊藏轉移為主。元時，蒙古雖以異族入主中原，但仍保有舊制，設置秘書監以掌全國典籍，至明洪武十三年罷置秘書監，改歸翰林院典籍。宋代所廣置之諸閣館至明代，幾乎只剩下文淵閣一處，其餘皆成機構附屬書藏。明代印刷術發達，官刻、私刻、坊刻興盛，書藏之多，遠勝歷代；可惜專職機構──秘書監遭廢置，圖書館在推廣利用上了無新意。

　　清代藏書較之各前朝代更上一層，到乾隆為頂盛時期。主要書藏在昭仁殿與文淵閣，質量並重，對保存前朝珍善版本，大有功勞。清代圖書館事業的發展，以康雍乾時期為主，至清末西方思潮入傳，現代圖書館觀念輸入，我國圖書事業才脫離君王統治的藩籬，邁入新的世紀。

　　綜觀清以前的圖書館發展，無論宮廷藏書或私家藏書，都有

幾個相似的特點：1.在蒐集圖書方面，力求量多且質精。宮廷藏書挾君王之力，四處訪求，或廣開獻書之路，各方珍寶，盡入府庫。而私家藏書常竭心盡力，護衛其所得免於戰火礫灰中，於圖籍之保存可謂功不可沒。2.在整理圖書方面，分類編目完善，架類清晰，以顏色區別，常有細緻之感。3.在典藏方面，歷代藏書均妥善保存，或於內廷宮中，或於私人府內，莫不選擇清幽雅靜，隱密而旁人少及之處典藏之。4.在閱覽方面，歷代藏書，服務的對象實在有限。宮廷藏書僅及於君王臣儒；私人珍藏，寶貴無比，開放的對象本來就有限。這些圖書館藏，一般百姓根本就看不到。若論清以前歷代圖書館事業的發展，雖於蒐求、整理、典藏方面有功，然因思想封建，君王專政、民智未開、教育未普及，影響了中國歷代圖書館事業的發展，呈現一封閉的景象，尤其在資料應用方面，對象過於狹隘。對圖書館的推廣而言，這麼長時間的發展，似乎繳了白卷。

二、清末圖書館的推廣業務

　　中國近代圖書館事業的發展，始於清末的變法維新運動。自甲午戰爭之後，有識之士，皆倡議興學，籌設藏書樓。清光緒二十二年（一八九六）正月二十一日，孫家鼐奏辦官書局章程，更進一步提出具體的建議，其主要工作有：擬設藏書院、刊書處、學堂、游藝院等。擬設藏書院一款稱：「尊藏列朝聖訓欽定諸書及各衙門現行則例……購置院中，用備留心時事，講求學問者入院借觀，恢廣學識。」其中對於藏書樓圖書收集範圍及開放閱覽，顯仍有部份限制，但藏書樓一詞，實已包含新的意義❷。同年五月二日，李端棻上「推廣學校以利人才」摺，奏請變法。其主張應

行推廣者有五端，其一為藏書樓。圖書館的設置已得到積極肯定的支持；其後，清末新設立的學堂，也都注意到圖書館的興建。

我國第一所官辦的公共圖書館於光緒三十一年由時任湖南巡撫龐鴻書奏建，正式在長沙成立。同年郵傳部成立，設圖書館一區，購置圖書，設講習所，為機關專門圖書館之肇始。至此，國人對圖書館的觀念已有很大的改變與進步，圖書館已為一般民眾接受。光緒三十三年貴州學務公所附設圖書縱覽室簡明章程第五款中記載：「凡來室閱覽圖籍者，誠意接待，不取分文。」❹已開免費閱覽圖籍之例，且借閱者對象不限。

光緒二十九年，美·韋棣華女士（Mary Elizabeth Wood）在武昌籌辦文華公書林（Boone Library），開私人興建近代圖書館之先鋒，引進美國模式的公共圖書館理念，採開架、供眾覽，影響頗大。宣統元年，有眾多的圖書館設立，而「京師及各省圖書館通行章程」由學部奏請擬定，宣統二年正式頒佈，是我國首次頒佈的圖書館法規，使圖書館的發展更有依據，對圖書館事業的推廣，有極大的貢獻。

自清末維新變法以來，眾人對圖書館的觀念已大大改變。在量上，圖書館的興建由少變多；在質上，圖書館館藏的內容日趨多樣化，或大眾路線的公共館藏，或專門路線的機關藏書，內容上已較能符合閱讀者之需要。另外開架式的閱覽及開放對象的普及，免費的閱覽政策，皆將古老的藏書樓觀念，一步一步的導向現代化的圖書館經營。清末圖書館事業的推廣，速度之快，內容之多，成效之大令人耳目一新。清末圖書館事業已逐漸啟發民智且具有社會教育之功能。

三、民國以來圖書館的推廣業務（至民國三十八年）

民國成立以後，各省的大城市，都有圖書館的設立。這個時期的圖書館，其性質不再偏重於文化的保存，而是漸漸的趨向於公開流通。至民國四年教育部正式頒佈圖書館規程十一條，通俗圖書館規程十一條；於是圖書館的類型逐區分為二：一為偏重民眾使用的通俗圖書館，一為注重學術文獻的圖書館❷。至此，圖書館的發展有了法令的依據，逐漸呈現穩定的成長。民國以來，各圖書館相繼建立，其組織職掌雖各有不同的名稱，然而不論分組或分部，皆已注意到推廣的需要。以下列舉數館對推廣的組織及推廣業務發展的狀況作一簡單的說明❷。

1. 國立北平圖書館（民國十七年七月由國立京師圖書館改名而成），其組織共分八部，由閱覽部底下設庋藏、閱覽、參考三組。雖無推廣的設立，然自新館落成後，即分設普通閱覽室與專門閱覽室，全年開放閱覽，僅新年放假三天及國慶日停止閱覽，此外無例假，每日連續開放十三小時。該館經常舉辦各種展覽會等推廣活動，足以啟廸民智及鼓勵讀書風氣。

2. 江蘇省立蘇州圖書館（成立於民國三年），組織中設編目、典藏、總務、推廣四部。這裏典藏與推廣已分開。

3. 江蘇省立鎮江圖書館（民國二十二年三月成立），組織中分設總務、徵存、編纂、閱覽、推廣五部。

4. 浙江省立圖書館（民國十六年由浙江公立圖書館更名而成），有孤山、新民兩分館。組織上，該館分為徵集、編目、閱覽、推廣、編纂與總務六組，再次將閱覽與推廣分開。

5. 安徽省立圖書館（民國二年成立），其組織於館長下設總務、編藏、流通、研究四股，又於流通股掌理圖書陳列、閱覽出納、閱覽室的佈置、推廣服務、讀者輔導、普通諮詢答覆等事項。推廣項目已日趨繁複。

6. 廣西省立第一圖書館（民國十七年九月改立），組織中分總務、編目、參考、閱覽、通俗閱覽、兒童閱覽、新聞閱覽、巡迴文庫、教育品陳列等部。雖無推廣之名，却有推廣之實，且推廣項目繁多，已另外成為四部。

7. 河南省立圖書館（清宣統元年二月創始），組織下分編錄、閱覽、事務三組，而閱覽組下管理典藏、出納、指導、研究、推廣等事項。

8. 山東省立圖書館（創立於宣統元年，民國十七年改名），組織下分編藏、閱覽、事務三部。閱覽部下分為閱覽、展覽、參考三組，且部份圖書採開架式。

9. 南京市立圖書館（民國十九年七月改名），組織中分總務、選購、編目、典藏、講演五組。該館除閱覽書報外，附帶設立南京市各地民眾閱報牌四十處，每日張貼京滬日報，每月舉行通俗講演一次，每星期二、四、六用無線電廣播，教授三民主義千字課一課，並臨時舉行擴音講演。該館雖無推廣組設立，然其推廣活動做得有聲有色，且廣泛運用到許多進步的現代媒體。

民國初年至抗戰期間，圖書館的推廣業務有了長足的進步，除了設立專組掌理外，另外幾樣業務的發展亦值得注意——通俗圖書館、兒童閱覽室、巡迴文庫及館際互借等設置使圖書館的服

務對象更普及，提供資料的內容更豐富。

（一）　通俗圖書館

民國四年十月頒佈「通俗圖書館規程」第一條：各省治、縣治應設通俗圖書館，儲集各種通俗圖書供公眾之閱覽。各自治區得視地方情形設置之。私人或公共團體，公私學校及工場，得設立通俗圖書館。第七條：通俗圖書館不徵收閱覽費❷。此項免費且通俗性的圖書館擺脫學術的陰影，使圖書館獲大眾之支持與認識，更願意來使用圖書館的館藏。

（二）　兒童閱覽室

例1：莊俞先生記京師通俗圖書館的兒童閱覽室情形如下❸：「兒童用書分四部：（子）教科書、（丑）童話、（寅）圖畫、（卯）小說雜誌。正門入內有運動場一小區，浪木、鐵槓、秋千架咸備。貯藏器械室一間，所藏體操遊戲應用之器械雖不多，重要者已略具。如須領用，每種不得過三十分鐘，但無續領之人，可以延長時間。」

例2：中央公園圖書館閱覽所於民國七、八年度年終工作報告甲項第五款中云❹：「兒童心理，專重活潑之方，首推玩具，邇來商務印書館及中華書局所製教育用品玩具甚多，類如各種積木、構造木材並各種遊戲玩具、動物模型等物。或者活潑心思、或者開通知識，於遊玩之中，隱寓教育作用。誘導兒童，此節必不可少。本所現已搜集多種，並製備木架二份，架分五層，酌量各種形狀，分類陳列，置於閱覽室東偏，圍以木欄，

以免傷損而昭慎重。」

此二例說明民國初年圖書館興辦即已注意到兒童的需要，其間關於運動器材、玩具等設備，在今日的兒童室裏還未必看得到呢？

(三) 巡迴文庫

「教育公報」第三年第十期中記載巡行文庫云❷：「巡行文庫為通俗教育之一種，其辦法較之通俗圖書館稍繁，須由各縣設通俗文庫總部一所，採集人民必需而易曉之各種圖書，輸送城鎮鄉各支部，再由支部轉送各村落閱覽所，限定日期閱畢，由處送回總部收存。」

巡迴文庫有組織、有秩序且積極主動的出擊，為圖書館業務的推廣，奠下了極好的基礎。另「教育公報」第五年（一九一八）第七期記載「京師小學教員巡迴文庫簡章」亦附錄之以為參考。

京師小學教員巡迴文庫簡章

第一條　京師學務局為增進小學教員學識起見，特仿照巡迴文庫辦法，舉辦小學教員巡迴文庫。

第二條　小學教員巡迴文庫應備書籍，約分五類如下：

一、教育書類　　　　　占十分之四；

二、文科書類　　　　　占十分之二；

三、理科書類　　　　　占十分之二；

四、法制經濟書類　　　占十分之一；

五、圖畫雜著類　　　　占十分之一；

第三條　小學教育巡迴文庫之組織，隨地理上自然之區劃，暫分為四組如下：

第一組　巡迴內城左區各小學；

第二組　巡迴內城右區各小學；

第三組　巡迴外城左右區各小學；

第四組　巡迴郊外西區各小學；

　　　　郊外東、南、北三區，暫附於就近各區，俟學校增多時，再行添設。

第四條　巡迴文庫每組暫分八匭，所在學校為文庫所在之地點，其就閱之各小學校，按文庫所在之地點支配，別以巡迴順序定之。

第五條　為管理方便起見，文庫之巡迴地點，暫以局立小學為範圍。凡公私立各小學校，均應發給巡迴文庫日期表及借閱證，屆期各教員可至附近文庫借閱。

第六條　巡迴文庫每匭在各校停留之時期，暫以兩月為限。各組交換之時期，暫以十六個月為限，約至六十四個月後，適巡迴一週。

第七條　巡迴文庫之書籍，於每巡一週後酌量添換一次。

第八條　第一項，每組內各設主任一人，由經理員中選派之。凡巡迴文庫各組交換事項，均由各組主任司理之。

　　　　第二項，區置放巡迴文庫書匭之學校，該校校長即為經理員。凡一切保管書籍，交換書匭之事項，均由經理員司理之。

第九條　巡迴文庫每匭應備圖書借閱簿，記各校閱書人姓名暨所閱書目，以備查考。

第十條　巡迴文庫之搬運費及其他費用，准於各校辦公項下作正

開銷。

第十一條　本簡章有未盡事宜，由京師學務局隨時修改。

　　　　　（原文見「中國古代藏書與近代圖書館史料」

　　　　　P 362-363）

（四）　館際互借

　　民國八年，教育部令京師圖書館所擬訂與分館交換閱覽圖書簡則連同閱覽互借圖書暫行規則第一條云❷：「圖書館與分館為推廣閱覽起見，訂立規則，得互借各種圖書，以圖閱覽人之便利。」此時，館際互借風氣已開，資料使用更為便利。

　　若國家太平，長此以往，我國圖書館事業必有輝煌成就；然而蘆溝橋事變，國家陷於長期動盪不安的狀態，相對的，圖書館事業也受到相當大的影響，不僅原有的圖書館不能保存，許多圖書館甚至燬於兵火之中；這期間圖書館亦只能慘澹經營，盡力推廣其事業。以下略舉數例：

　　1.國立中央圖書館（於民國二十九年八月一日正式成立），其組織條例中館長下分設總務、採訪、編目、閱覽、特藏五組，其中閱覽兼辦參考與展覽事項，並訂各圖書館互借圖書規則六條，與輔導全國各圖書館發展。

　　2.國立西北蘭州圖書館（於民國三十三年六月一日正式成立），戰時重要工作有：

　　（1）　開放圖書影片（於民國三十二年八月籌備期間辦理圖書微捲展覽事宜）。

　　（2）　參加社教人員訓練，開辦圖書館學課程，由該館派員主講。

(3)　出版輔導叢刊，並不時刊登圖書館學論著。

3. 湖北省在民國三十二年，對於各縣民眾教育館之圖書館設備費特予增加，並令設置巡迴文庫以巡迴各鄉鎮。且於各鄉鎮，設書報閱覽室於中心學校內；另將館藏參考書與研究性之書分別提存於各大學學院及各學術機關，並派人前往典守。

民國以來的圖書館事業，其成長是肯定的，在圖書館推廣方面的發展尤其可以一見端倪。在這段期間影響圖書館業務推廣的因素有：西方圖書館觀念的引進、國內教育風氣大開、政府的重視、法令的訂定、圖書館教育及培養專業人才的開始、圖書館團體的組織及圖書館學術研究的蓬勃，使圖書館由保守走向開放，由收藏走向使用，由少數人的專利趨於大眾所共有，由簡單的經營方式趨於複雜，由散漫的組織趨於聯繫 ❷ ；開拓中國圖書館現代化嶄新的一頁。

四、遷台以來圖書館的推廣業務

民國三十八年，政府遷台之始，因戰爭破壞，資源缺乏，百廢待興，圖書館事業亦無明顯的推廣。真正的發展期當屬民國四十年到六十年間，在這二十年裏有國立中央圖書館的復館，中國圖書館學會的成立，先後五個大專院校圖書館科系的創辦，專業人才的培養訓練等，為圖書館的發展奠下美好的基礎。六十一年以後，因政府文化建設的開展，資訊化的普及，自動化作業的創新研究，使我國圖書館推廣事業大展步伐，邁向二十一世紀的國際水平。

自遷台以後四十年來，各類型圖書館皆有顯著的發展。

(一)　國立圖書館方面

自國立中央圖書館於民國二十九年成立以來，其組織條例在三十四年十月經過修訂，除了採訪、編目、閱覽、特藏、總務五組外，另設出版品國際交際處及圖書館事業研究委員會，分別辦理出版品國際交換與研究圖書館之改進等各項事宜；還都以後，又與其他機構及學術團體合作，施行圖書互借辦法、參加文物展覽會、舉辦兒童圖書展覽會，對推廣社會教育等大有功勞。民國四十三年又在台北復館，掌理全國圖書館事業發展，輔導各級圖書館業務，參與國內外館際合作，成立全國目錄中心等，至民國七十五年九月新館落成，正式遷入啟用，更積極的帶領全國圖書館事業往前發展。

此外，在日據時代原屬台灣總督府的圖書館，於三十七年改為台灣省立台北圖書館，又於六十二年改為中央圖書館台灣分館。其組織條例下，亦設推廣輔導組，掌理調查、統計、研究、視察、輔導、推廣及館際連繫等事項❸⓿。該館經常舉辦各項展覽、演講、研習會、各項公共圖書館業務研討會、巡迴書箱、盲人點字圖書暨有聲資料等，於圖書館事業推廣，不遺餘力。

(二)　公共圖書館方面

1. 台灣省立台中圖書館於民國三十六年五月改隸台灣省政府教育廳，輔導台灣省各級圖書館業務發展，辦理專業人員研習班並各類社教活動等。該館並依據民國七十七年「台灣省各級圖書館輔導要點」說明❸⓵，積極辦理台灣省圖書館人員研習班，培訓管理人才，建立全省公共圖書館館際合

作系統，巡迴書展，業務發展會議並輔導各級圖書館之規
劃設計等推廣活動。此外，台北市立圖書館與高雄市立圖
書館，為服務其全體市民，亦擬訂各項活動，積極推廣其
業務。

2. 文化中心的籌建。蔣經國先生於民國六十六年九月在當時
行政院長任內向立法院所提施政報告中明白指出，政府將
繼十項建設之後，進行十二項建設。其中第十二項就是文
化建設；計劃在每一縣市建立一處文化中心，內容包括圖
書館、博物館與音樂廳。民國六十八年一月，台灣省政府
成立「台灣省縣市文化中心籌建委員會」負責指導規劃各
縣市文化中心，至民國七十六年，各地文化中心已陸續完
成❷。

3. 鄉鎮圖書館的籌建。本省原無「鄉鎮圖書館」之稱，各鄉
鎮如設有圖書館，均逕以各縣市圖書分館之名義稱之。民
國五十八年三月，省政府正式頒佈「台灣省各鄉鎮縣轄市
立圖書館組織規程」，始確立鄉鎮圖書館之地位。至民國七
十三年下半年，省教育廳擬訂「台灣省加強文化建設重要
措施」草案，重點之一係「輔導並補助各鄉鎮縣轄市建立
圖書館」。至民國七十九年，已有二百餘個鄉鎮興建圖書
館，成效非凡。

　　政府對文化中心及鄉鎮圖書館的重視，使全省公共圖書館的
推廣，有了突破性的進展❸。

(三)　大專圖書館方面

大專院校圖書館，尤其是大學圖書館，於國內各類型圖書館

中，無論在組織、人員、經費、館藏、服務或建築設備方面，均較具規模。民國七十一年七月三十日「大學法」修正公佈，載明圖書館得參與大學的校務會議、行政會議、教務會議等，提昇了大學圖書館的地位。而七十三年四月頒佈的「大學規程」，對大學院校圖書館的組織、編制亦有所規定，有助其健全發展。近年來，各大學院校亦先後積極發展自動化作業，開研究之先鋒，為全國圖書館事業導航❹。

（四）　學校圖書館方面

學校圖書館近年來發展的趨勢，已逐漸改變以往傳統圖書館的觀念而走向一個「學習資訊中心」的方式。影響此改變的因素主要的有三方面：一是教學方法的改變，由傳統模式走向學生自學活動與對個別興趣能力的尊重。二是隨著科技的進步，視聽媒體、電腦輔助教學與教學媒體設計製作的新觀念廣泛的被應用在教學上，打開了以往學生以書本為唯一資源的取向。三是專業人員加入學校圖書館的行列。以前學校圖書館被忽略，沒有專業人員服務，民國六十八年五月，教育部公佈的「高級中學法」中規定圖書館設專任主任一人，主管圖書館的業務，這點對日後國中、國小圖書館專業人員的資格和編制具有先導作用。專業人員的加入對推廣學校圖書館的事業，應是一大助力❺。

（五）　專門圖書館方面

專門圖書館近年來在台灣呈現普遍且多方面的發展，無論是政府機關，議會，公、民營事業，軍事單位，大眾傳播媒體、醫院、宗教團體、工商團體等皆普設專屬機構圖書館。據民國七十九年國立中央圖書館調查統計，台灣地區共有四九九所專門圖書

館。專門圖書館有充裕的經費和特殊的館藏，在推廣業務的項目上既多且細，非一般公共圖書館所能及㊱。

　　除了以上所述各類型圖書館之發展外，圖書館研究所的設立，圖書館學術出版品的增加，各項會議與研討會不斷的舉辦皆影響圖書館事業之推廣至深且鉅。四十年來的台灣，因政局穩定，國民教育知識水準的提高，經濟的繁榮進步等因素，使我國圖書館事業蓬勃發展，向更新的目標前進。

第三節　中西圖書館史中推廣業務發展之比較

　　中西圖書館業務之推廣，因其時代、背景之不同而有不一樣的發展已如前二節所述。然而當我們就其發展過程中幾個特殊的項目作年代對照比較時，却可以發現其中亦有許多異曲同工之處。本節僅就其異同處比較之，並探討圖書館事業之所以能推廣的主要因素。

一、中西圖書館史中推廣業務發展之不同處

　　從中西圖書館史的發展中，我們可以看到早期的圖書館皆以保存圖籍為主要任務，在利用上的功能不顯著。但因著政體的改變，時代潮流的變遷，圖書館的經營理念亦隨時代而有所不同。西洋圖書館較早結束其封閉式的經營，約在十五世紀以後，已逐漸開放。而中國的圖書館因帝王專制政體的持續，直到清末才有顯著的改變。我們若試著舉幾個類似項目的發展來探討其年代的差距，便可見其端倪。

(一) 不同類型圖書館的興起

民國四年，我國頒佈「圖書館規程」與「通俗圖書館規程」十一條，使圖書館經營的類型區分為二：一為注重一般民眾使用的通俗圖書館，一為注重學術文獻研究的圖書館。我國歷代圖書館的發展源自官府，尤其宮廷藏書，策重學術，常以儒家為中心。盧荷生氏曾評其「館藏固定在一定的主題中，造成思想趨向過度的單純」❸如今，圖書館能走出學術的窠臼，為民眾另闢出路，可謂創舉。然在西洋圖書館史中，類似此學術與通俗分開經營的觀念在十四、十五世紀即已有之。當時，圖書館藏書常分成兩部份，一部份開放使用，一部份珍藏，用鏈鎖住。另外在十九世紀末、二十世紀初，歐美各地即已出現各種不同類型的圖書館。如美國十九世紀後期的鐵路圖書館、主日學校圖書館，一九三〇年有公共流通圖書館、兒童館、巡廻車，法國軍人圖書館及蘇俄的軍營圖書館、工廠圖書館等多方面的發展。這些專門圖書館在我國的發展，至今仍未如此多彩多姿。

(二) 免費的公共圖書館

我國第一所官辦的公共圖書館在清光緒三十一年（一九〇五）成立，而西洋圖書館史中，一八五〇年後，美國即已有免費公共圖書館之設立，兩者相差五十年。

(三) 學習資源中心的興起

美國在一九二〇年採用新的教學法，促使學生更多使用圖書館館藏；加上視聽媒體的發展，傳統圖書館在學校中的使用法日趨沒落，代之而起的是學習資源中心的建立。一九四九年的英國，

把圖書館當作是教學資源中心的觀念也已普遍；而我國在推展學校圖書館的發展上，猶待努力。至今，教學資源中心的理念還正在提倡中而已，少有學校付諸實行，與西洋圖書館相較，差距約七〇年。

(四) 圖書巡迴車

一九〇一年，挪威有巡迴書櫃出現；至一九三〇年，類似巡迴車、巡迴書箱、巡迴文庫、巡迴站等的設施已相當普及。我國在民國五年（一九一六），亦有巡迴文庫辦法出現，以後陸續在各地發展，成效頗大與西洋圖書館的發展相去不遠。

(五) 視聽媒體的應用

保加利亞在一九一〇年已普遍應用廣播和電影。一九三〇年，美國圖書館因藏書量大增，開始研究縮小資料體積的方法，微縮捲片因此而風行。至一九五〇年，美國非書資料的使用在圖書館已是很普遍了。我國在民國十九年（一九三〇），南京市立圖書館應用無線電廣播授課，開運用現代媒體服務羣眾之先河。然視聽媒體之大量引用仍是近十年的事，一般圖書館因限於經費，館舍建築，能有效應用視聽媒體在圖書館的仍屬少數。

(六) 開架式的閱覽

在一九五〇年，美國開架式的使用已很普遍。而我國現代圖書館的觀念起步較晚，將書當財產的觀念仍存於國人心中，除了大專院校較早採開架式外，一般公共圖書至今採開架式閱覽的仍屈指可數，與國外相差近四十年。

(七) 應用電腦方面

一九六〇年，美國 OCLC 應用電腦提供圖書館多方面的合作

計劃，使電腦與圖書館作業開始了密不可分的關係；而我國圖書館研究電腦化的作業，約在民國六十年以後，二十年來亦有長足的進步，只是與歐美相較，仍距離很遠。

㈧ 在服務對象的擴大方面

西洋圖書館為了服務不同性質的讀者而興起了諸多不同類型圖書館的建立，如為工人而有的工廠圖書館，為軍人而有的軍營圖書館，為鐵路旅客與員工之需要而有的鐵路圖書館等，其服務對象已逐漸在擴大中。一八二九年，法國布雷爾(Braille)發明創造點字圖書供盲人使用，至第二世界大戰（一九四五）後，瑞典亦設有盲人圖書館；美國國會的盲人資料中心更是出版點字及大字本圖書供應全國公共圖書館之需要，服務全國的盲胞。一九〇〇年，兒童圖書館的服務也普遍被重視；二次大戰後，美國的公共圖書館業務更趨向多樣化；對老人、殘障者的服務日漸加強。反觀我國圖書館的發展不若西洋圖書館之多樣化，在公共圖書館以外的專門圖書館較少，而公共圖書館服務的對象又較狹隘。一九一九年，兒童圖書館之風興起，開始注意到年輕讀者群的需要。盲人圖書館的發展是近十年的事，除了盲人重建院與啟明學校等正規課程教導外，能提供課外及一般性讀物的公共圖書館屬極少數。此外，對特殊對象的需求如老人、殘障人士的服務也是近年來才開始注意到的新課題。在服務對象的擴大上，我國圖書館業務的推廣還需努力，急起直追。

二、中西圖書館史中推廣業務發展之相同處

雖然中西圖書館史中的推廣業務有著相當多的不同，但也有類似的地方。

㈠ 在圖書館的功能上，由「以保存為目的」走向「以使用為目的」。西洋圖書館史中，早期的修道院、宮廷藏書等皆以保存為主要目的，直到大學圖書館興起，才開放給民眾使用。我國歷代藏書亦以保存為主要目的，至清末逐漸走向對民眾開放閱覽的路。在保存的功能外，另有傳播知識，教育民眾的目的。

㈡ 在開放的對象上，由「閉塞、嚴禁」到「准許少數人閱讀」再到「對大多數人開放」，而後更積極的拓展「新的讀者羣」服務。

㈢ 在開放的時間上，由「每週數小時」到「全天式」的開放。在開放的範圍上，亦由「限制區域的閱覽」逐漸成為「開架式的閱覽」。

㈣ 在服務的方式上，由「被動的服務」到「主動的出擊」；由「索費的閱覽」到「免費的閱覽」。

㈤ 在服務的內容上，由「單純」到「多樣化」。以往單單提供圖書、報紙、期刊；而現今的圖書館，其資料範圍幾乎無所不包，服務的種類比以前多樣化。

㈥ 運用專業人才職掌圖書管理。西洋古代藏書之管理員如修道院中之高僧，或我們古代藏書樓之翰林、學士，莫不選用具學術素養，飽學、愛好圖籍之士出任之。中興以人才為本，圖書館欲推展其事業者亦當如是。

以上數例僅就中西圖書館的發展比較之。雖然我國現代圖書館的觀念發展較晚，但歷代以來對圖書館看重的理念却是相同。二十世紀中葉，吸收西學觀念，圖書館經營已逐漸發展，與國際

舞台同步了。

三、影響圖書館推廣業務發展的因素

從中西圖書館史的推廣業務發展之比較來看，無論二者有多少的相同與不同處，影響圖書館推廣業務發展的因素約可歸納如下：

(一) 政體的變更

一個古老、專制、封閉且保守的政體下所經營的圖書館事業相對的也必定是封閉、保守且疏遠羣眾的。西洋圖書館較早結束其封閉思想，在中古世紀末，文藝復興以後，即有奔放的思想，自由的發展空間。爾後，大學圖書館的興起，民主火花的點燃，引爆新國家的誕生和獨立，圖書館的經營從此便多彩多姿的展開了。我國的圖書館事業之所以落後的原因也和此息息相關，若非清末維新變法，民國肇造，一個封建、保守，與外資訊完全隔離的國家，何談現代圖書館之發展。

(二) 教育的普及

以往知識是屬於少數人的，少數統治階級運用知識駕御百姓。而一般臣民習慣於日出而作，日落而息的生活方式，對知識並不感覺需要。因此，圖書館對大眾而言是很陌生、遙遠、沒有切膚關係的。直到教育普及，廣興學校，作育人才，百姓的知識水準提高了，才驚覺到圖書館是知識的寶庫。因此，我們可以說教育若不普及，圖書館一定沒有地位，教育普及才能帶動圖書館事業的推廣。

(三) 政府的重視

專制時代，君王的重視固然影響整個圖書館事業的發展；而

民主時代，政府的重視更關係到圖書館業務的推廣。政府的重視會帶來立法的需求，會注意到人才與經費的缺乏，會開拓學術自由研究的空間，會有效結合區域之間分散的組織網，使圖書館事業作整體性的發展，而不至於各謀其政，散沙一盤。政府的重視影響圖書館事業推廣甚鉅。

(四)　立法的依據

圖書館事業想要推廣，除了政府的重視外，必須要有法令的依據。好的圖書館法之立定，使得各級圖書館的發展有所規範、有所依據。例如一八四九年，美國各州通過法案以稅收維持公共圖書館的經營；我國於民國四年，頒佈圖書館規程、通俗圖書館規程等，皆影響圖書館的發展。

(五)　經濟的繁榮

政府政策的推行，除了有立法的根據外，更需國家雄厚財力的支持；而雄厚的財力來源必須是社會安定、民間富庶、經濟繁榮。如果國家社會長期處於戰亂或動盪不安的局面，圖書館的發展一定受到嚴重的影響。

(六)　人才的訓練

中興以人才為本。法令、建築、經援皆可在短期內儘速解決，唯有人才不是一夕之間可得。教育乃百年大計，所有師資的培訓、學員的招收，工作經歷的磨練等都需經過漫長的歲月才能養成。西洋古代修道院重要的經典卷軸，皆由權位甚重的主教級人士妥為保管，他人不得隨意得此職位；中國古代的藏經閣，亦由高僧住持把守，深知典籍關係重大，非才疏學淺之輩可勝任，與今日圖書館員地位之低落相去甚遠。故要有效推廣圖書館事業，宜從

人才訓練着手，並給予其肯定的地位，使其能有所發揮才是。

(七) 組織的運作

　　無論圖書館遍佈的地區大或小、遠或近，一個網狀的有組織的行政體系必須建立，方能層層負責，層層輔導。否則，若主持業務的機構重覆，不僅造成職權的重覆使用，劃分不清，更讓小館無所適從，對整體的發展有害而無益。

(八) 學術的研究

　　圖書館事業的得以推廣，端賴圖書館學術的探討研究，新的理論，新的方法，新的技術使圖書館的實務能更上層樓。這當中，學會的成立，其力量自不可忽視，各樣團體的聯繫，帶動學術性的研討、演講、論文的發表等，皆有助於圖書館事業的推廣和革新。

　　影響圖書館推廣業務發展的因素尚有許多，例如：有心人士的熱烈參與，民眾的認識，對圖書館事業的投資和支持皆可使圖書館業務邁向更新的境界。

附　註

❶　尹定國譯，<u>西洋圖書館史</u>。（台北市：台灣學生書局，民國 72 年），頁 13。

❷　同❶，頁 35。

❸　同❶，頁 103。

❹　同❶，頁 109。

❺　同❶，頁 102。

❻　同❶，頁 149。

❼　同❶，頁 167。

❽　同❼。

❾　同❼。

❿　同❶，頁 249。

⓫　同❶，頁 255。

⓬　同❶，頁 264。

⓭　同❶，頁 269。

⓮　同❶，頁 278。

⓯　同❶，頁 27。

⓰　嚴文郁，<u>中國圖書館發展史</u>。（台北市：中國圖書館學會，民國 72 年），
　　頁 1-4。

⓱　中國圖書館學會出版委員會編，<u>圖書館學</u>。（台北市：台灣學生書局，民
　　國 63 年），頁 89。

⓲　1.同⓱，頁 91-92。
　　2.盧荷生，<u>中國圖書館事業史</u>。（台北市：文史哲出版社，民國 75 年），
　　頁 21。

⓳　盧荷生，<u>中國圖書館事業史</u>。（台北市：文史哲出版社，民國 75 年），頁
　　134。

⓴　同⓰，頁 9。

㉑　同⓰，頁 22。

㉒　同⓱，頁 113。

㉓ 同⑯，頁 47-155。

㉔ 李希泌、張椒華編，<u>中國古代藏書與近代圖書館史料</u>。（台北市：仲信出版社，民國 73 年），頁 184。

㉕ 莊歈，「參觀北京圖書館紀略」，<u>中國古代藏書與近代圖書館史料</u>，（台北市：仲信出版社，民國 73 年），頁 210。

㉖ 同㉔，頁 279。

㉗ 同㉔，頁 257-258。

㉘ 同㉔，頁 227-228。

㉙ 同⑯，頁 45-46。

㉚ 參見「國立中央圖書館台灣分館組織條例」。（民國 74 年 10 月公布）。

㉛ 國立中央圖書館台灣分館，「台灣省各級圖書館輔導要點，（民國 77 年 7 月，台灣省政府公布施行）」，<u>台灣地區公私立圖書館輔導辦法修正會議資料</u>，（台北市：中央圖書館台灣分館，民國 78 年），附錄 2。

㉜ 王振鵠、王錫璋，「圖書館事業發展概述」，<u>第二次中華民國圖書館年鑑</u>，（台北市：中央圖書館，民 77 年），頁 1-26。

㉝同㉜。

㉞同㉜。

㉟同㉜。

㊱同㉜。

㊲同⑲，頁 199-219。

第三章　推廣業務的行政問題

第一節　圖書館推廣業務的組織與職掌

一、推廣業務的組織型態

　　到底圖書館的推廣業務是由那一組（或部）負責推展呢？是不是每一所圖書館皆設有推廣組（或部）專門掌理圖書館的推廣事宜？或因各館組織型態的不同，而由其他（部）兼管？

　　回溯民國初年，圖書館現代化剛起步時所成立的圖書館組織型態。其中，國立北平圖書館的組織❶，乃在閱覽部底下設庋藏、閱覽、參考三組，並無推廣部或組的成立。在業務上，參考屬於閱覽工作的推廣，而閱覽部經常辦理展覽會等多項推廣活動，雖無推廣之名，卻有推廣之實。另外，廣西省立第一圖書館的組織中分總務、編目、參考、閱覽、通俗閱覽、兒童閱覽、新聞閱覽、巡迴文庫、教育品陳列等部。組織上雖然零亂，但將各項推廣業務別立成部，足見圖書館對此事業之看重❷。國立中央圖書館，於民國二十九年成立，其組織條例於館長下分設總務、採訪、編目、閱覽、特藏五組，閱覽組兼辦參考與展覽事項，並訂定各圖書館互借圖書規則與輔導全國各圖書館發展。此時，推展業務仍由閱覽組兼辦。民國三十四年，抗戰勝利復員後，其組織經修訂通過後設採訪、編目、閱覽、特藏、總務五組，另設出版品國際

交換處及圖書館事業研究委員會。其推廣業務已因項目的繁雜，業務量的增多而另立門戶，成為超組（部）的組織❸。

民國二十八年教育部公布的「修正圖書館規程」記載：省市立圖書館設置總務、採編、閱覽、特藏及研究輔導部；縣市立圖書館設置總務、採編、閱覽、推廣等四組，並註明以上各組、部，得視地方情形，全部設立或合併設置❹。此外，民國五十八年修正發布的「各省市公立圖書館規程」第四條亦載：圖書館設置採編、典藏、閱覽、推廣、總務等五組，並註明前項各組得視地方情形全部設置或合併設置。民國六十六年修正公布的「台灣省各縣市立圖書館組織規程」第二條亦載：圖書館得視地方實際情形，分設總務、採編、閱覽、推廣等組❺。以上所載，推廣組為圖書館推廣業務之專責部門，幾已確定。

「大學及獨立學院圖書館標準」第九條亦載 ❻：圖書館得分組辦事（其規模大者，組下得設股）處理採錄、編目、閱覽、典藏及參考諮詢等業務。這裡的參考諮詢本為閱覽項目的延伸，因工作量之激增已別立一組，也有圖書館因人力不足，附屬閱覽組下兼辦。此外，館際互借，資料互印，指導學生利用圖書館及經常舉辦的展覽、演講等推廣活動，並無特別載明當屬何組掌理。許多館因應實際的需要，皆納入閱覽組下辦理。

「高級中學圖書館標準」原則第二條記載 ❼：高級中學圖書館應設技術服務及讀者服務兩組，亦得視實際需要增設視聽資料組。這裡對推廣業務的規範更加模糊。

綜合以上所述，可以歸納出推廣組織發展的四種模式：

㈠　集中制：集中制的推廣組織，就是將圖書館所有的推廣

業務都集中在推廣組來辦理，其他組不兼辦推廣事項。例如兒童閱覽室屬閱覽組，但若舉行兒童圖書展覽，則透過推廣組來辦，閱覽組本身只是協辦單位而已。

㈡　附屬制：附屬制的推廣組織，實際上並沒有推廣組（部）的設立，乃是附屬在典藏、閱覽、或流通部門底下兼辦推廣活動。此種組織型態在學校圖書館最容易看到。大學圖書館中亦常見這種型式，例如美國俄亥俄大學圖書館，不設推廣部，乃設立參考諮詢及讀者教育部做為閱覽工作的延伸，並推廣其業務❽。

㈢　分散制：分散制的推廣組織，乃是將推廣項目別立成組（或部），並以該項目之名命名之，以著重該項業務之推廣。例如演講則設演講組，巡迴文庫則設巡迴文庫部，展覽則設展覽組，這些組皆與推廣組並列之。採用此種組織型態的圖書館，其推廣項目必定繁多，且為圖書館的經常或主要業務。

㈣　超組（部）的組織：此種推廣組織，乃在各組之外，因業務發展的需要，與各組皆有密切關聯，乃單獨成立。例如推廣輔導會議，各種委員會的成立等，與圖書館業務推廣大有關係，卻不是那一組可以單獨負責的。

　　以上四種推廣的組織型態可能存在於現今的各種圖書館中，因其組織、業務、功能的不同，很難定規那一種型制較好。例如，甲圖書館將「圖書館利用教育」放在閱覽組下，乙圖書館則放在推廣組下；丙圖書館將「館際互借」、「館際互作」放在閱覽

組，也有放在參考組或推廣組下的，都因各個圖書館的性質而有所不同。組織是死的，運用卻是活的，各館都當因人，因時，因地而有所制宜；必要時也可修改組織條例，才能真正配合圖書館發展的需要。

二、推廣業務的職掌

推廣業務的職掌為何？廣義而論，推廣業務的範圍相當廣泛，但若就圖書館內部組織及業務來細分，推廣業務仍必須借具體項目施展出來。首次將圖書館內部組織及業務詳細列出的當屬民國二十八年教育部公佈的「修正圖書館規程」，爾後各項辦法、大綱公布時亦有詳列者。以下所列為「修正圖書館規程」以及各辦法所記有關推廣業務之職掌。

(一) **修正圖書館規程**（民國 28 年 7 月 22 日教育部公布）

第 8 條　省市立圖書館設置左列各部：

1、總務部　文書、會計、庶務及其他不屬於各部之事項屬之。

2、採編部　選購、征集、交換、登記、分類、編目等屬之。

3、閱覽部　閱覽、庫藏、參考、互借等屬之。

4、特藏部　金石、輿圖、善本、地方文獻等屬之。

5、研究輔導部　調查、統計、研究、實驗、視察、輔導、圖書館工作人員之進修與訓練及各項推廣事業等屬之。

以上各部，得視地方情形，全部設立或合併設置，其工作大綱另訂之。

第 9 條　縣市立圖書館設置左列各組：

　　　　1、總務組　文書、會計、庶務及其他不屬於各組之事
　　　　　　項屬之。

　　　　2、採編組　選購、徵集、交換、登記、分類、編目等
　　　　　　屬之。

　　　　3、閱覽組　閱覽、庫藏、參考、互借等屬之。

　　　　4、推廣組　演講、播音、識字、展覽、讀書指導、補
　　　　　　習學校及普及圖書教育事項屬之。

　　　　　　以上各組，得視地方情形全部設立或合併設置，其
　　　　　　工作大綱另定之。

第 10 條　圖書館為便利閱覽起見，應設分館、巡迴文庫、圖書站
　　　　　及代辦處，並得協助學校辦理圖書閱覽事宜。

第 20 條　圖書館應舉行左列會議：

　　　　1、館務會議：由館長及各組主任組織之，以館長為主
　　　　　　席，討論全館一切興革事項，每月開會 1 次。

　　　　2、輔導或推廣會議：由館長各主任及各該地方內有關
　　　　　　之教育行政機關代表組織之，以館長為主席，討論
　　　　　　圖書館辦理輔導或推廣事業之興革事項，每半年開
　　　　　　會 1 次。

第 21 條　圖書館應設置左列各會：

　　　　1、小組討論會：由各主任及幹事分別組織之，以部或
　　　　　　組主任為主席，負研究有關學術及討論改進工作之
　　　　　　責，每週開會 1 次。

　　　　2、經費稽核委員會：由各主任及全體幹事互推 3 人至

　　　　　　5 人為委員（總務主任、會計、庶務不得為委員）

　　　　　　組織之，委員輪流充當主席，負責審核收支賬目及

　　　　　　單據之責，每月開會 1 次。

第 22 條　圖書館為謀事業之發展起見，得連絡地方黨政機關、社

　　　　　　會團體及熱心圖書館事業人士，組織各種委員會。

第 23 條　省市立圖書館及民眾教育館應分別輔導縣市及地方自治

　　　　　　機關、公立或私立圖書館，並謀事業之聯繫，其輔導辦

　　　　　　法另訂之。

㈡　圖書館工作大綱（民國 28 年 7 月 24 日教育部公布）

第 7 條　　省市（行政院直轄市）立圖書館之工作規定如左：

　　　　　　研究輔導部：1、調查省區內各級圖書館之情況並統計

　　　　　　　　　　　　之；2、根據調查與統計編製省區內各級

　　　　　　　　　　　　圖書館標準表冊與比較表；3、舉辦特種

　　　　　　　　　　　　圖書館實驗，視察各圖書館實況；4、編

　　　　　　　　　　　　輯各項課程專目，指導讀者研究；5、研

　　　　　　　　　　　　究讀者讀書興趣，輔導書局編印書籍；

　　　　　　　　　　　　6、舉辦圖書館員暑期講習會，促進圖書

　　　　　　　　　　　　館事業之發展；7、舉辦全省圖書館員研

　　　　　　　　　　　　究會，交換專業知識；8、舉辦巡迴文庫

　　　　　　　　　　　　圖書站及代辦處；9、舉辦民眾問字處，

　　　　　　　　　　　　民眾學校或識字班；10、協助各學校團體

　　　　　　　　　　　　機關辦理圖書閱覽事宜；11、辦理其他關

　　　　　　　　　　　　於研究輔導事項。

第 8 條　　縣市（普通市）立圖書館之工作規定如左：

推廣組：1、按照縣市人口之分布，設立分館、圖書站及圖書代辦處；2、辦理巡迴文庫，便利人口稀疏交通不便之山區及邊區民眾；3、辦理民眾問字處，民眾學校或識字班；4、於總館、分館內設置無線電收音機接收廣播，輔導民眾讀書；5、按期放映幻燈片或教育影片；6、辦理各項學術演講，陳列館藏新書；7、舉辦讀書顧問，指導民眾進修；8、協助縣市各社教團體黨政學商機關設置圖書館；9、舉辦巡迴壁報，發表民眾論著，輔導民眾作家；10、編製各種推廣統計；11、辦理其他關於推廣事項。

㈢ **圖書館輔導各地社會教育機關圖書教育辦法大綱** (民國 28 年 11 月 4 日教育部公布)

第 4 條 省市立圖書館應行輔導之工作，除關於協助各級學校兼辦社會教育另有規定外，規定如左：

　　1、調查並統計本區各級圖書館概況；

　　2、視導本區內公私立圖書館及縣市地方自治機關或私人設立之民眾教育館圖書室（每年至少普遍視導 1 次）；

　　3、編印各項課程專目及其他輔導刊物，分發本區各圖書館及民眾教育館之圖書室，指導讀者研究及供參考之用；

　　4、適應讀者需要與興趣，協助書局與編譯機關編印適

用書籍；

5、接受地方機關與文化團體之委託，設計改進圖書館事業，並得派專門指導員隨時前往指導；

6、接受教育行政機關之委託，辦理關於本區圖書館員實習訓練事項；

7、舉辦本區圖書館研究會，交換專門知識；

8、召開輔導會議；

9、辦理其他關於本區社會教育機關圖書教育輔導及改進事項。

第5條　縣市立圖書館應行輔導之工作，除關於協助各級學校兼辦社會教育另有規定外，規定如左：

1、調查並統計本區各圖書館概況；

2、視導本區內公私立圖書館及民眾學校之圖書事業（每年至少普遍視察1次）；

3、協助本區內社教機構設置圖書室；

4、設置讀書顧問，輔導讀者進修；

5、召開推廣會議；

6、辦理其他關於本區社會教育機關圖書教育輔導及改進事項。

㈣　臺灣省(縣)(市)立圖書館工作實施應行注意事項（民國39年3月6日台灣省政府教育廳公布）

第2條　各級圖書館以推展文化宣傳，輔導民眾進修，提倡學術研究為中心工作。

第3條　關於推廣文化宣傳方面，應參酌辦理事項：

1.增設巡迴文庫或書報流通處；2.定期舉行通俗演講；3.按期接收教育廣播；4.按期放映幻燈或教育影片；5.舉辦有關文化宣傳之各種展覽會或宣傳週。

第4條　關於輔導民眾進修方面，應參酌辦理事項：

1.補充各種書報雜誌；2.編製各種參考書目；3.舉辦讀書顧問；4.組織民眾讀書會；5.舉辦各種短期補習班；6.舉辦兒童閱讀競賽或故事比賽。

第5條　關於提倡學術研究方面，應參酌辦理事項：

1.編製圖書論文索引或專題書目；2.定期舉辦學術講座；3.組織各種學術研究會；4.舉辦有關學術研究之論文比賽；5.舉辦有關之學術討論及通訊研究。

㈤　**臺灣省縣市立圖書館加強業務實施要點** (民國 49 年 2 月 11 日台灣省政府教育廳公布)

第3條　按照縣市人口分佈情形酌予設立分館，或圖書供應站。

第4條　開闢兒童閱覽室，舉辦兒童讀書競賽會及兒童故事會等。

第5條　開闢特別研究室，音樂室及展覽室等。

第6條　辦理圖書巡迴，以利交通不便之地區民眾借閱。

第7條　辦理館際、機關、學校、團體之圖書互借事宜。

第8條　協助機關、學校、團體辦理圖書閱覽事宜。

第9條　經常辦理各種學術講座，以放映教育影片。

第10條　研究並統計讀者的讀書興趣，以供書局或出版業者編印書籍之參考。

第11條　與出版界保持聯繫並利用報紙、電台等經常介紹新書目

錄及內容，以激發公眾閱讀之興趣。

第 13 條 運用適當方法，辦理年老、傷殘及醫院病患者之借書事宜。

㈥ **縣市文化中心工作要領** (民國 72 年 9 月 13 日行政院核定)

有關圖書館之條例：

10、配合各種成人教育之實施，提供讀書綱要等服務。

13、圖書館應充分準備兒童及青少年讀物，並與中小學校合作，舉辦圖書介紹及展覽等活動，以適應兒童及青少年特殊之需要。

15、圖書館得視需要設立分館、閱覽室或巡迴站，或舉辦巡迴閱覽書箱等推廣服務。

16、圖書館應配合需要，辦理展覽、講演、研習、電影（視）、音樂欣賞及其他活動。

17、圖書館應與本縣市內各文教機構及其他圖書館密切連繫，並謀圖書館館際間之合作，使民眾能利用該服務地區，甚至全省及全國之圖書資源。

18、圖書館應支援並輔導各鄉鎮圖書館及村里閱覽室之業務。

19、圖書館應建立各種服務紀錄及統計資料，以便業務之推展與查核。

20、圖書館得遴聘地方熱心文教事業人士組織委員會，謀求圖書館業務之發展。

以上諸項辦法、要點已詳列推廣的業務職掌。有部分項目如

館際互借、館際合作、參考諮詢、讀者顧問、讀者指導等，或入閱覽組，或入參考組，或由推廣組負責，皆無定論，需看各館組織而劃分。推廣業務事項繁多，在實際推展時，當捨去陳舊、不合適的項目，另外發展新的，與時代潮流同步的項目進行之，圖書館才能真正扮演好社會教育者的角色。

此外，大專及學校圖書館方面，因其功能任務的不同，推廣業務的重點也不一樣。

㈠　**大學及獨立學院圖書館標準** (民國68年12月中國圖書館學會第27屆會員大會通過)

第 4 條　圖書館應舉辦各項推廣服務，以促進社區文化與學術之發展。

第 34 條　圖書館應提供下列服務：

　　⑴　注重參考諮詢，如協助員生查檢資料、解答疑難等。

　　⑵　提供教師指定參考書。

　　⑶　編製剪輯書目、索引、摘要及「圖書館手冊」等。

　　⑷　提供複印。

　　⑸　經常舉辦展覽、演講、討論等活動，以鼓勵員生研讀。

第 35 條　圖書館應有專人指導學生利用圖書館並協助研究工作，其方式為：

　　⑴　新生訓練期間，介紹圖書館館藏與服務。

　　⑵　開授「圖書館利用法」供學生選修。

　　⑶　個別指導。

　　⑷　提供專題研究資料等。

第 36 條　圖書館間應發展合作服務，如聯合採購、合作編目、編製聯合目錄、館際互借、資料互印等，並負責辦理出版品國內、外交換工作。

第 37 條　圖書館為評量服務，應分別逐日、逐月、及逐年辦理下列統計資料。

  (1)　中外文圖書增加及累計冊數。

  (2)　與國內外各機構交換或贈送圖書冊數。

  (3)　閱覽人數。

  (4)　圖書資料借用種類、冊數及人數。

  (5)　參考諮詢之件數。

  (6)　教師指定參考書種數及利用人數。

  (7)　每年經費分配額及使用額。

  (8)　其他。

第 38 條　圖書館應在學年終，提出年度工作報告，以檢討工作之得失及提供改進之意見。

(二)　**高級中學圖書館設備標準**（民國 74 年 9 月教育部公布）

 7、高級中學圖書館應加強宣導如何利用圖書館之常識，並配合時事節慶，舉辦文宣或展覽活動。

 8、高級中學圖書館應與其他圖書館或資料單位保持聯繫，以資合作，交換利用館藏，加強服務工作。

 12、高級中學圖書館為教學資源中心，為便利使用，提高效能，可將視聽中心、教具室、電腦輔助教學設備等，均併由圖書館負責管理。

(三)　**國民中學圖書資料設備標準（草案）**（民國 76 年 5 月教育部訂定）

1、原則

為鼓勵學生有效利用圖書資料，圖書館應辦理圖書館讀者之教育，並將此工作列為業務之一。

2、使用：

(1) 圖書館應先妥訂圖書資料之閱覽使用規則，確定：開放時間、借書數量、借書時限、遺失賠償辦法，俾使員生有所遵循。

(2) 圖書館至少應於學生在校時間內開放。各科參考書及雜誌應開架陳閱。

(3) 圖書館之工作應與各科教師合作，以配合教學需要。

(4) 圖書館應藉新生訓練時間，教導學生利用圖書及圖書館之常識。內容應包括：

①圖書館設立之目的。

②圖書館應遵守之規則。

③借閱圖書應有自覺自律之公德心。

④書籍之結構。

⑤圖書之分類與排列法。

⑥圖書目錄卡片之使用法。

⑦各種重要參考書，如辭典、百科全書、年鑑、各種圖表之內容及使用法。

⑧讀書之方法、如何作筆記、編製參考書目。

⑨當地公共圖書館及其他圖書資源之介紹。

(5) 各班得設置班級圖書文庫，由圖書館選擇適合各班

學生閱讀程度之圖書，存置各班教室供學生借覽。
應定期更換，並推選熱心服務之學生負責管理之。

(6) 圖書館為激發學生閱讀興趣，應時常舉辦圖書展覽
及新書介紹、講演及讀書指導。

(7) 國民中學圖書館應與當地公共圖書館或他校圖書館
合作、交換利用館藏資料，以謀有效之服務。

(四) **國民小學圖書館設備標準** (民國70年1月教育部公布)

1、服務

(1) 國民小學圖書館之服務對象為本校師生及社區民
眾。

(2) 國民小學圖書館應配合教學需要，作為學童課外求
知活動之中心，除供應圖書辦理借閱外，應辦理下
列活動：說故事、推介優良讀物、閱讀、討論、演
講、展覽、辯論、查字辭典比賽、猜謎比賽、兒童
實驗劇、認識圖書館活動、認識書活動，以及美術、
音樂、唱片、電影欣賞等。

(3) 新到圖書之書目應隨時公告介紹並予以展示。

(4) 圖書之管理，應盡可能採取開架式，節省人力，並
便利學生閱覽。

(5) 圖書館開放時間不得少於學校辦公時間，除配合上
下課時間外，並斟酌在中午或放學後空檔時間開
放，以利使用。

(6) 各校應排定各年級各班級借書及閱讀時間，使每一
學生均有機會利用圖書館。社區民眾借書及閱覽時

間視各校情形另訂之。

(7)　圖書館應利用學生來館閱讀時間，教導學生利用圖
書及圖書館之常識。

(8)　圖書館為便利教師及學生之需要，得在各班級設置
班級書庫。

(9)　圖書館為培養學生閱讀興趣，發展其閱讀能力，應
與教師合作誘導學生閱讀。

(10)　國小圖書館應與當地公共圖書館及其他學校圖書館
謀取密切合作。

(11)　圖書館應為學生及社區民眾有關閱讀之諮詢服務機
構。

(12)　圖書館應充分利用社會資源，收集鄉土教材及有關
資料。

(13)　編印圖書手冊（介紹圖書館概況及活動）。

由以上標準，可以看到大專及學校圖書館，其推廣業務的重
點在如何指導學生閱讀，圖書館利用教育、參考諮詢及館際合作
方面。另外，學校圖書館的經營，已由傳統的圖書館模式走向教
學資源中心，亦是其推廣重點之一。

三、縣市文化中心推廣業務的組織探討

縣市文化中心的籌建始於民國六十六年，時任行政院長的蔣
經國先生向立法院的施政報告中提出，政府將繼十項建設後，進
行十二項建設；其中第十二項的文化建設，即計劃在每一縣市建
一文化中心。此構想至民國七十六年已陸續實現完成。

根據民國六十九年修正公布的「社會教育法」第四條中指出

「直轄市、縣（市）應設立文化中心，以圖書館為主，辦理各項社會教育及文化活動。」此後，文化中心在各縣市陸續興建完成，大部份的圖書館併入文化中心，少部份的圖書館仍保持獨立。自文化中心興建完成後，有關圖書館與文化中心的種種問題即不斷的產生，此處僅就其對圖書館推廣業務的影響來討論。

按「台灣省各縣市立文化中心組織要點」第四條：文化中心得設下列各館（組）：㈠圖書館（組），㈡博物館（組），㈢藝術館（組），㈣推廣組，㈤行政組；並註明前項各館（組），除圖書館（組）辦理圖書館（組）業務外，其他各館（組）視地方實際情形設置之。「台灣省各縣市立文化中心各部門運用管理要點」第三條：本要點所稱各部門如下：

㈠ 圖書部門包括圖書館（組）。

㈡ 博物部門包括博物館（組）及文物陳列館（室）。

㈢ 藝術部門包括藝術館（組）、音樂（演奏）廳及畫廊。

㈣ 推廣部門包括推廣組。

㈤ 行政部門包括總務組及人事、會計等業務。

從以上諸條文看到文化中心包含這許多廳、館、組是否恰當不談，但以圖書館館長出任文化中心主任，或社教人員擔任圖書館館長均不適宜。文化中心的展覽與各項推廣活動，圖書館專業人員並不熟悉，相反的亦如是。自從圖書館併入文化中心後，產生以下諸多問題❾：

㈠ 在組織上，文化中心主任乃綜理整個文化中心的業務，對圖書館的業務發展無法全力推行。

㈡ 文化中心主任若對圖書館業務很熟悉，則圖書館業務的

推展較順利。反之，若文化中心主任較注意文化中心的其他活動，則圖書館工作人員反要被派去支援，對圖書館業務的發展有極不良的影響。

(三)　文化中心的推廣組是綜理全文化中心的推廣活動，而圖書館本身的推廣活動卻無法推行，需賴圖書館工作人員兼辦此項業務，帶給圖書館極大的困擾。

(四)　縣市立圖書館併到文化中心後，有階層降低，業務萎縮之感，沒有合併的還看得到圖書館的工作，已經合併的，幾乎看不到圖書館而只看到文化中心的活動了。

(五)　有的圖書館屬於文化中心的分館，因此在組織層級上已不能和其他縣市統一，對轄區內小型圖書館的輔導與業務推廣亦有不良影響。

圖書館屬於社會教育的一環，負全民終身教育之崇高職責，若附屬於文化中心底下，組織、編制、人員皆受限制，要推廣圖書館事業甚難！除非修正文化中心組織章程，將圖書館的行政、組織獨立於其他廳、組之外；或擴大其編制，任用專門人才，圖書館事業推廣方有可為。

第二節　圖書館推廣業務的人員與經費

一、圖書館推廣業務人員需具備的相關知識

圖書館推廣業務牽涉的人、事、物非常廣泛。因此，身為推廣的工作者必須習得的相關知識技能也相對的增多。這些相關知識包括：

(一) 圖書館的專業知識與技能。

(二) 大眾傳播學。

(三) 宣傳與廣告。

(四) 視聽媒體應用技巧。

(五) 電腦資訊的應用。

(六) 公共關係。

(七) 文字編輯。

(八) 社會學。

(九) 調查與統計。

(十) 行政組織與企劃。

二、圖書館推廣業務人員的基本條件

因為推廣業務是相當活潑而有變化的，所以推廣業務人員除了擁有相關的知識技能外，本身尚需具備一些條件，才能把推廣業務圓滿地達成。這些條件是：

(一) **靈活應變的能力**

推廣工作常常有突發性的事情發生，面對不同的讀者、不同的問題，極需靈活應變的能力。

(二) **突破困難的勇氣與決心**

推廣工作需與館外人、事、物、行政單位等的接觸頗多；困難之處，非有勇氣與決心難以突破。

(三) **與團隊合作的精神**

推廣工作是整體性的作業，雖有推廣組負責主其事，然亦需相關組室提供資料、人力的協助才能完成。

(四) **勇於創新的嘗試**

　　推廣工作需推陳出新，淘汰舊的、不適用的方法，而代之以新的、迎合時代潮流的方法，才能將館務革新；更要因應不同地區、不同讀者的需求，開創新的服務項目，才能達成圖書館的使命。

(五)　充沛的精力和體力

　　推廣工作無論是對內的溝通，對外的聯繫與接洽，都需好的精力體力才能勝任。

(六)　熱衷學習相關的新知識與技能

　　凡與推廣工作有關的知識技能，推廣工作者都當勇於嘗試和學習，才能迎頭趕上日新月異的時代。

(七)　對圖書館作業的全盤了解

　　推廣工作者若能親身經驗過採訪、編目、閱覽典藏、參考等圖書館實際的工作狀況，對圖書館作業流程瞭若指掌，將有助於其推廣工作的順利進行。推廣的工作本是先安內，後攘外；必須先有好的圖書館技術服務的基礎，才談得上更進一層的讀者服務。

(八)　口才的能力

　　推廣工作者最好能受過口才的訓練和培養，因為身為一個對外工作者，接觸的「人」特別多；無論是讀者或其他機構合作者，皆需詳細解說有關圖書館服務的各項問題。一個好的、受過口才訓練的推廣工作者方能勝任。

三、圖書館推廣業務人員的訓練

以上一、二兩項所列推廣業務人員所需具備的條件，並不是每個人都能與生具有，需經過有計劃的栽培、訓練才能得到。培

訓的步驟可以考慮以下方式：

（一）　網羅各類專才

　　除了圖書館專業人員外，推廣工作亦可網羅各類專門人才，如大眾傳播、文宣編輯、公關、行政等人員。

（二）　施予在職訓練

　　在職訓練的方式很多，可以參加長、短期訓練班；選修相關課程；借助演講、研習會等多種方式。圖書館專業人員可以選擇與推廣工作有關之知識技能學習之；而非圖書館專業人員則加強對圖書館整體事工的認識，以期能應用其專長於圖書館推廣工作上。

（三）　採用輪調制度

　　在有限的圖書館人力資源下，若無法有足夠的推廣人員可資運用，那麼訓練全體員工成為「人人能對外獨立作戰的推廣人員」就勢在必行。這其中，輪調制度可以讓員工有機會參與圖書館工作流程的每一項細目，並且可以選出真正適合擔任推廣工作的人員來。

四、圖書館推廣業務的經費籌措

　　人員之外，推廣業務需要相當多的財力、物力的支援，這些經費當如何籌措呢？基本上，推廣業務經費的來源有下列幾處：

（一）　圖書館的年度預算

　　每年的年度預算剛開始編列，推廣工作人員即需按其次年欲推動的各項推廣計劃編列之，並保留部份經費作彈性運用。

㈡　請求其他機構補助

　　有時上級行政機構，或相關的學術團體會因活動的特殊性而給予補助。這些肯給予經費補助的團體機構，推廣工作人員平時就需留意掌握，才不致錯失良機。

㈢　運用地方資源

　　推廣工作每到一處，若能有效運用當地的各種設備、資源，必能省下大筆經費另作他用。

㈣　募款

　　向民間團體、工商團體等籌募基金。

㈤　與其他機構合作

　　如果圖書館經費有限，無法單獨辦理推廣活動，可以和別的單位合辦，共同出錢、出力一起完成。在美國，有的縣立圖書館太小，經費太少，於是就與一個較大的市立圖書館訂立合同，由縣政府每年付一點錢，讓市立圖書館與該縣立圖書館合作來推進該縣所屬各區域內之圖書館事工❿。

第三節　圖書館推廣業務的設計與評鑑

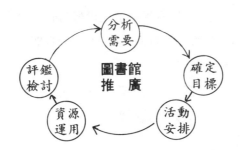

　　圖書館的推廣業務不是即興作業，想到那裏做到那裏，必須經過審慎精密的設計過程才能推出。一個推廣計劃的實行，無論是長期性或短期性的活動，皆需經過五個基本的步驟──分析需要，確定目標，活動安排，資源運用與評鑑才能圓滿達成。並且這五個步驟是不斷修正，不斷更新且相互影響的循環體。這種循環過程能使圖書館推廣事業不斷進步，並且更符合讀者的需求。

一、分析需要

　　需要的分析要考慮幾個因素：館務項目發展的分析、讀者群的分析、行政能力配合的分析、優先順序等重要性的分析。可考慮的問題如次：

　　㈠　圖書館最近三年的推廣活動項目有那些？服務對象為何？成效如何？

　　㈡　圖書館目前正在推展的讀者服務項目有那些？那些還沒有做？

　　㈢　社區調查分析。圖書館所在地區的人口結構統計，其數量、教育程度、職業、年齡層、需要傾向如何？對圖書

館的認識程度如何？

㈣　轄區內有那些讀者未曾（或很少）利用圖書館，其原因
　　為何？

㈤　未開發的讀者群中，那些部份最具開發潛力？老年人？
　　兒童？青少年？家庭主婦？殘障人士？醫院？監獄？基
　　層勞工？學生或軍人？

㈥　行政考量方面：本館的人力、財力、物力如何？有無良
　　好的館藏基礎為後盾？推廣活動時間的考慮？是屬於長
　　期性的活動？亦或短期性的活動？
　　例如：圖書巡迴車的發展，需要人力，需要車輛，更需
　　　　　要館藏的大量支援。

㈦　優先順序的決定。在所欲開發的諸項推廣活動中，當如
　　何判定優先順序，在眾多條件的配合下，做第一個推廣
　　開發的對象。

　　分析需要對推廣活動的設計非常重要，唯有不斷的回顧以往
活動的成果，檢討現今活動的缺失，更對未來的活動做可行性的
預測與評估，才能使推廣工作有效的推展。

　二、確定目標

　　因需要分析而決定了推廣項目時，就必須針對此項目訂定目
標。目標的訂定要以能評鑑為原則。一個較長期的推廣活動設計，
要考慮到的目標有遠程、中程、近程的三種；並且在一定的時間
內各給予評鑑，以確定目標是否達成。

　　例如：圖書巡迴車的開辦，對於服務的人次、地區、借閱的
　　　　　次數、冊數、車輛的增加等做三個月到半年，一年到

　　二年，三年到五年等近程、中程、遠程的目標設定，
　　並且定期予以評鑑。

　一個短期推廣活動的設計，其目標確定更是重要。一個活動
可以同時達成幾個目標。目標的設定要兼具認知、技能與情意等
三種領域。活動完成後，讀者應該：

　1.知道什麼？（認知領域）

　2.會做什麼？（技能領域）

　3.具備什麼樣的態度？（情意領域）

　例如：設計「如何利用圖書館」活動後，讀者應該

　1.知道如何利用圖書館（有利用圖書館的知識）

　2.會利用圖書館（行動上會實際操作）

　3.會主動利用圖書館並且教導別人利用圖書館（這在情意領域
　　上，屬於最成功的層次，表示活動圓滿達成目標）

　三、活動安排

　活動安排乃根據目標而推行。一個目標可同時設計多種活動
來完成，亦或單單經由一個活動來完成。例如演講、展覽、研習
會等都屬單一的活動，卻可串聯起來共同輔助一個目標的完成。
每個活動進行時，都要預先做好活動安排設計。雖然每種活動都
有其特殊性，但仍有幾個基本共同的原則需要注意：

　㈠　**主題、名稱**

　　　任何推廣活動計劃皆需按既定目標決定主題、名稱。主
　　題乃根據目標而來，名稱可用活潑、易記、容易吸引人且引
　　發連想的詞句來彰顯主題，達到活動的目標。

㈡　舉辦單位

　　舉辦單位需考慮的有：是圖書館本身主辦？或與其他機構民間學術團體等合辦？亦或由其他單位主辦，本館僅是協辦而已。這些在活動計劃之初，即需因圖書館本身的人力、財力、預算、資源多寡而決定。

㈢　時　間

　　推廣活動時間的安排，應盡量以民眾休閒時間為優先考慮，週末或假日等較合適。若屬多地區的巡迴活動，在時間安排上尤需費心；要考慮到人員、設備搬運、佈置等時間的穿插。

㈣　地　點

　　地點的安排依活動的內容要考慮的因素有：室內、室外、節令、天候、交通方便程度、可容納的人數、簡易路綫圖等。

㈤　活動內容

　　活動內容要詳細列出：主要項目,次要項目,配合項目；是同時舉行或穿插進行等。

㈥　工作分配與執行進度表擬訂

　　人員調度，權責分配與進度的確實執行是活動成功的基本要素。若能設置全體推廣工作人員共同的執行進度表，對計劃的執行將更有提醒作用。

四、資源運用

㈠　經　費

預算如何分配？有無預算以外其他財力、物力的支援？
或上級單位與其他團體的贊助？

(二)　人　　力

除本館人力以外，是否有可資運用的外來人力、義工等
支援活動。

(三)　設備、器材是否齊全

如果需要視聽器材等設備支援，則需注意場地是否恰
當？有發遮光設備？本館沒有的器材，他處是否可借到？

(四)　宣　　傳

可運用報紙、雜誌、電視、廣播、海報、文宣品等大眾
傳播工具展開宣傳，以提高活動的知名度，俾民眾熱烈參與。

(五)　其他社會資源的運用

社會上的人力、組織、財力等資源皆可開發運用，協助圖書
館業務的推廣。

五、評鑑檢討

「評鑑」是什麼？鄭雪玫氏在「資訊時代的兒童圖書館」一
文中，為評鑑下的定義是：「評鑑」乃是運用各種方法，尋求某
一計劃、服務或活動是否做得好，或究竟如何才能做得好。其中
包括有系統的比較原來計劃與事實上達成的差異⓫。

(一)　為何需要評鑑

圖書館推廣業務基本上是為完成圖書館的功能和使命所
發展出來的各種服務，非目的本身。因此對各項活動必須進
行評估，以求檢討改進。當各樣活動安排皆根據既定目標進

行時，考核的主要功能在於詳細核對每項計劃是否妥善完成？每個目標是否已經達成？若有差錯，要追究原因為何，並尋找改進的方法，使下次推廣活動的設計更好。

「評鑑」是完成任何計劃中不可或缺的一部份。特別在舉辦或提供首次活動或服務時，更賴以建立其基準線(baseline)；換言之，也是在於留存一記錄作為日後比較之用❷。

評鑑可以獲得有力的數據說明，尤其在爭取經費預算時，更可以得到行政人員及服務大眾的支持。但評鑑雖然重要，卻有許多人故意忽略它。正如鄭雪玫氏所言「因為評鑑具有一種可導致改革的力量，而有些人類崇高的情操，如信託、自信、榮譽等也將會多多少少受到評鑑作業的無情挑戰！」❸。

雖然如此，圖書館推廣工作仍必須重視評鑑，因為評鑑可以改變圖書館經營的方式，從以往重視圖書館本身的人員、經費、設備等各項資源轉變為重視用者意向及對讀者的服務。

(二) 由誰來評鑑

評鑑者可以包含多方面人員如：圖書館工作者、推廣工作設計委員、讀者、評鑑專家、學者等。

(三) 評鑑內容

1.讀者的評鑑

一個推廣活動完成後：

  (1) 讀者是否了解本次活動的目的。

  (2) 讀者是否會以實際行動來配合。

  (3) 讀者是否很樂意使用圖書館來解決他生活上的難處。

 2.推廣工作人員的自我評鑑

  (1) 確實認真執行了每一個細節嗎？

  (2) 對讀者確有實際幫助嗎？

  (3) 過程中，有何自我發現的缺失需要改進？該如何做會更好？

 3.團體性配搭評鑑

  (1) 審核所定的目標與活動內容是否真正滿足讀者的需要。

  (2) 是否採用問卷、調查、統計等方式，其結果如何？

  (3) 評鑑時，發現最難克服的因素是什麼？有何具體的建議？

（四） 評鑑方法

  評鑑方法除了時常留意蒐集報章、雜誌及民間一般輿論的批評及反應外，可以選擇由評鑑專家與推廣活動設計者共同來設計各種問卷、調查、統計表，並且編製評鑑考核等各種資料，予以建檔；此外更需於推廣活動進行過程中蒐集相關資料作為推廣活動評估的基礎。

  總之，若能發展一套適用的「圖書館服務成效評估」辦法，將於評鑑工作更為有利。自一九八二年美國出版「公共圖書館服務成效評估手冊」以來，影響公共圖書館甚鉅。因長久以來，公

共圖書館一直在尋找評鑑其服務的有效辦法。此手冊的出版，提
供了特殊的方法及作業過程來計算這些評量，並提供工具使圖書
館可以用量化的數值表示出達到自訂的經營目標的程度，因此廣
受公共圖書館之歡迎 **⓮**。我國若能發展出一套適合我國國情的圖
書館服務成效評估辦法，相信對圖書館的業務推廣將更為有利。

△附錄一

(摘自「公共圖書館服務成效評估之方法與應用」盧秀菊著，中國圖書館學會會
報，第 39 期 19 頁，民國 75 年 12 月)

公共圖書館服務成效評估手冊：

十二項評量法：

㈠　每年每人平均圖書資料流通量(Circulation　Per　Cap-
ita)

㈡　每年每人平均館內使用圖書資料量(In-Library Meter-
ials Use Per Capita)

㈢　每年每人平均到訪圖書館次數(Library　Visits　Per
Capita)

㈣　每年每人平均參加圖書館活動次數(Program　Atten-
dance Per Capita)

㈤　每年每人平均使用參考諮詢服務次數(Reference
Transactions Per Capita)

㈥　參考諮詢服務滿足率(%)(Reference Fill Rate)

㈦　圖書資料書刊名滿足率(%)(Title Fill Rate)

(八) 圖書資料主題和著者名滿足率(%)(Subject and Author Fill Rate)

(九) 圖書資料瀏覽者之滿足率(%)(Browser's Fill Rate)

(十) 登記用者佔社區人口之百分比(%)(Registration as a percentage of Population)

(土) 每年每一圖書資料之平均流通次數(Tarnover Rate)

(圭) 圖書資料之遞送率(%)(Document Delivery)

△附錄二

圖書館推廣工作評估

(一) 推廣行政的評估

1.圖書館是否有一個以一年為整體的推廣計劃

2.圖書館是否有推廣組（或推廣工作委員會）來推動圖書館推廣工作

3.有否預備全年的行事曆

4.圖書館目前正推展那幾項的推廣活動

(二) 推廣活動的評估

1.每一項推廣活動設計是否都有明確的目標

2.推廣活動經常舉辦的有那幾項？① ② ③

3.每項推廣活動是否都按進度表來執行

(三) 推廣記錄建檔評估

1.是否每項推廣活動都保留長久的記錄卡和檔案

2.是否經常使用這些記錄檔案來設計新的推廣活動

㈣　推廣工作人員的評估

1.多久開一次推廣工作研討會（或協調會議）

2.會議的內容是什麼

3.是否時常舉行工作人員在職訓練，增加其相關知識技能

㈤　推廣資源運用的評估

1.推廣活動經常運用到的資源有那些①＿＿②＿＿③＿＿④
＿＿

2.經常使用的視聽器材有那些①＿＿②＿＿③＿＿

3.經常使用的宣傳方法有那些①＿＿②＿＿③＿＿

㈥　考核的評估

1.每項推廣活動是否都經過評鑑

2.經常使用的評鑑方法有那些①＿＿②＿＿③＿＿

3.圖書館推廣工作是否每年都有詳細的工作檢討

附　註

❶　嚴文郁，<u>中國圖書館發展史</u>。（台北市：中國圖書館學會，民國 72 年），頁 50-59。

❷　同❶，頁 83。

❸　同❶，頁 126、147。

❹　國立中央圖書館，<u>中華民國年鑑</u>。（台北市：中央圖書館，民國 70 年）頁 410。

❺　中國圖書館學會編，<u>圖書館學參考書目及法規標準</u>，增訂再版。（台北市：中國圖書館學會，民國 75 年），頁 66、70。

❻　同❺，頁 160。

❼　同❺，頁 104。

❽　張樹三，「美國俄亥俄大學圖書館行政組織評介」，<u>中國圖書館學會會報</u>，第 39 期（民國 75 年 12 月），頁 5。

❾　國立中央圖書館台灣分館編，<u>中華民國七十七年台灣地區公共圖書館業務發展研討會會議紀錄</u>。（台北市：國立中央圖書館台灣分館，民國 77 年），頁 1-15。

❿　陳晉賢，「圖書館推廣事業」，<u>中國圖書館學會會報</u>，第 6 期（民國 45 年 8 月），頁 6-8。

⓫　鄭雪玫，<u>資訊時代的兒童圖書館</u>。（台北市：台灣學生書局，民國 76 年），頁 20。

⓬　同⓫。

⓭　同⓫，頁 19-20。

⓮　盧秀菊，「公共圖書館服務成效評估之方法與應用」，<u>中國圖書館學會會報</u>，第 39 期（民國 75 年 12 月），頁 29-30。

第四章　推廣活動項目㈠

　　圖書館推廣活動的項目，種類繁多，且需時常推陳出新，因時、因地、因人、因事而制宜，好像沒有一定的軌跡。但圖書館在推展這些活動時，也都經常借著一些基本形式而表現出來。有些推廣活動項目是為了擴大對讀者的服務而設計的；另有些推廣活動項目是為了圖書館本身推廣業務的發展而設計的，期盼因著對推廣業務更進一步的發展研究，而能找出更適當、更多、更好的方法來服務讀者。因此，推廣活動項目基本上是為「服務讀者」而設計的，「為那些未被服務過的人們服務」（serve the unserved!)❶是推廣活動項目設計的基本目標。

第一節　服務地區的推廣

　　服務地區的推廣，也稱做館所的推廣。因著區域的性質，居民需求的不同，或距離太遠，而將圖書館服務的範圍，由圖書館的所在地向館外擴大。其經常使用的活動項目為分館、小型閱覽室、圖書巡迴站、巡迴書箱暨圖書巡迴車的設立。茲分別介紹如下：

一、分　館

㈠　組織：按公共圖書館標準組織項第四條、第五條：「凡人口滿二萬人之社區，應設立社區圖書館，社區圖書館

須為縣（市）圖書館之分館。」

(二) 成立原因：

1. 人口需求：依前項所言，分館之成立乃基於人口的需求；因人口的不斷增加，總圖書館的服務，呈現供不應求的現象，乃設置分館，增加民眾閱覽之便。

2. 區域需求：區域的性質不同，需要不同。同一縣市各區的市民，因職業、教育程度、生活方式的不同，其利用圖書館的時間和資源亦不相同。分館的成立可按其地方的需要而建立各具特色的館藏。

(三) 地點：按公共圖書館標準第五十二條：「公共圖書館之總館與分館應建於交通適中之處。」

(四) 經營方式：

1. 時間：

按公共圖書館標準第二十一條：「縣（市）圖書館分館可依地方實際需要辦理，但每週不得少於四十二小時。」

2. 業務：

按公共圖書館標準第三十八條：「圖書資料之參考、閱覽、出納工作及鼓勵閱讀之各種活動，除總館所在地由總館辦理外，餘由分館、借書站、圖書巡迴車分別辦理之。」第三十九條：「公共圖書館應允許讀者在同一縣市內任何分館、借書站、圖書巡迴車借書還書。」以上之標準說明分館業務的獨立性與其總館的相關性。一般分館的圖書、設備、人員、經費皆由總館統籌規劃；包括其特殊性的館藏亦由總館調借，長期存放分館，待其

特殊原因消失時，亦可調回總館或轉至其他分館使用。這種集中制的管理，可使人員、經費、藏書都得到適當的處理；尤其集中採購與編目更是經濟，且效率高。但是分館在業務的發展上亦有其獨立性，尤其與讀者服務相關的閱覽、參考、推廣業務上，皆可因需要而有不同的發展，以建立各分館的特色。

3. 通用卡制度：

總館與分館之間宜建立通用卡制度。讀者所持閱覽證或借書證應可自由的在甲區、乙區或丙區辦理借還書，並享有圖書館之各項服務。

二、圖書閱覽室

圖書閱覽室乃介於分館與圖書站之間的機構，其規模比分館小一點，比圖書站大一點。其館舍、人員、設備、圖書皆由總館調派，集中管理。有固定的閱覽開放時間，只是業務量小一點。所陳列的資料有限，如通俗性期刊、報紙、圖書等供民眾自修、閱覽之用外，無特殊的推廣活動如讀者服務或讀書指導等。

三、圖書巡迴站

圖書巡迴站又稱借書站、圖書站、圖書流通站、圖書代辦處等名稱。

(一) 組織：按公共圖書館標準第十二條：「在人口未滿二萬人之地區得設借書站。」第十三條：「在人口稀疏之鄉村或山區不便設立借書站時，設置圖書巡迴站。」換言之，圖書巡迴站乃是比圖書閱覽室規模更小一點的機構。它可能有館舍、也可能沒有館舍，只是租用（或借

用）別人的館舍。它可以由總館派專人負責，亦可以訓練半專業人員負責。其館舍、人員、設備、圖書亦皆由總館集中管理。

(二) 成立原因：

1. 人口較少，利用圖書館的頻率相對減少。

2. 地處偏遠，使用圖書館的人次不多且不集中，若能廣設圖書巡迴站，使其不用長途跋涉至交通方便處卽可借到書，對鼓勵偏遠地區民眾閱讀，大有幫助。

(三) 地點：可考慮選擇偏遠地區的社區或活動中心，或人口較集中之處設置之。

(四) 經營方式：

1. 時間：按公共圖書館標準第二十一條：「借書站（開放時間）不得少於十二小時。」

2. 業務：

(1) 圖書巡迴站的業務以辦理圖書出納，方便當地人士借還書為主。

(2) 圖書巡迴站的資料以一般性圖書為主。現刊的雜誌、報紙較少。或可佐以過期而不具時效性的文藝或消遣性雜誌。

(3) 圖書巡迴站的圖書約在一、二千冊左右，需定期更換，由總館集中調配。

(4) 圖書巡迴站於開放時間內，需派專人負責圖書出納。可以考慮於每次圖書更換時，由總館派專業人員前往指導有關圖書借閱問題；週間則可洽尋當地

熱心人士協辦出納事項，由總館施予短期訓練並酌給予車馬費，以補人力調配之不足。

(5)　圖書巡迴站與圖書閱覽室一樣，當備圖書目錄供民眾查詢之用。

四、巡迴書箱

巡迴書箱又稱巡迴文庫、存書處。學校裏的班級文庫亦屬此類。

㈠　組織：

巡迴書箱的規模比圖書站範圍更小，它沒有館舍、人員、設備，只是由總館將書裝在固定大小的箱子裏，運送至各定點存放；數量不定，按地區需要而設置，且於固定時間內更換，以便巡迴他處。巡迴書箱不派專業人員負責借還書，通常由存書處自行看管借閱。

㈡　成立原因：

1.人口稀少，交通不便的小型社區，或需要圖書的讀者群。

2.學校無經費購買圖書，充實館藏者，其班級文庫之成立往往可借助於市區的公共圖書館總館。

3.雖於城中市集之地，因職業或讀者群對象的特殊性需要，亦可設置。

㈢　地點：

1.在偏僻小村落裏，把少數圖書放在私人家庭內，或商店內，託人代管。

2.放在汽油供應站中。

3.醫院、監獄、老人院、兒童教養院等特殊地區。

4.學校的班級裏。（可由老師、學生代管）

5.其他凡有需要者皆可設置。

（四）　經營方式：

1.時間：

由存書處的方便而定。學校則於學生上下課時間；加油站可能二十四小時開放；商店也與開店時間同步。

2.業務：

⑴　由總館統籌規劃各巡迴書箱的定點有效與巡迴更換時間。

⑵　採郵寄或運送方式運抵各存書處。

⑶　由存書處託人看管，或辦理借還書，亦可由讀者自行借還，只需辦理簡單手續卽可，以儘量方便讀者及鼓勵閱讀為原則。

⑷　巡迴書箱的圖書約在二、三百冊左右，因書籍量少，一目瞭然，亦可不必用圖書目錄。必要時，一個存書處可存放兩箱。

五、圖書巡迴車

圖書巡迴車(Bookmobiles)又稱流動圖書館、流動文庫、書車等，是一種利用機動車，運送書刊至各地區的服務。通常由大或中型旅行車改裝而成，內有書架可以陳列圖書並其他資料，有敞開的車門供讀者上下車親訪圖書。早期在窮鄉僻壤之地，亦有使用人力車，或以人身肩擔書籍到大街小巷供人閱覽者，亦為巡迴服務之一種。

（一）　歷史：圖書巡迴車的起源，可追溯至一九○五年，美國

圖書館員瑪麗(Mary Ticomb)收集了二百五十本書，並把它們裝在一輛馬車上，利用二匹馬拖著走遍了華盛頓等許多偏遠山區，四天之內旅行了五百平方哩。這種構想在一九一九年引起了明尼蘇答州夕賓(Hibbing)公立圖書館的共鳴，開始推出這種「服務到家」的計劃❷。

㈡　成立原因：

　1.偏遠地區，人口散落各鄉鎮者很難到城市都會區的總圖書館去利用資料。

　2.當總館財力不濟，或地方財政缺乏，無力興建分館時，採用巡迴車的效果頗為經濟。

　3.有閱讀困難的居民，在一般傳統的圖書館很難找到合適的書籍。但在巡迴車裏，服務人員總會細聽他們所求，並為他們尋找一些高趣味及適合他們閱讀的材料。

　4.受過訓練的專業人員，其服務到家的作法深得民眾的掌聲與支持，經常慷慨解囊相助。

　5.特殊結構的人口群，如語言別、種族別等特別需要這種服務。

　6.偏遠地區的學校也常利用巡迴車提供新的教學資源，新的教學法，和教師在職訓練。

㈢　經營方式：

　1.時間：

　　⑴　巡迴車巡迴時間間隔不可過長，平均每星期一次最為恰當，至遲二到三星期。每次定點停留時間亦不

可過短。

(2) 需採彈性運用方式，效果才會好。巡迴車依居民所在地作息時間出入，或白天，或晚上，或週日，不能按一般上下班制。

(3) 定時定點輪流停靠，不能隨意更改時間，否則讀者將無法適應，而減少利用的機會。

2.地點：

(1) 以交通不便的偏遠地區為優先考慮。

(2) 地點選擇公共場所、公園、遊樂中心、停車場、固定住宅區廣場、寺廟教堂前等人口易聚集的地方。或特殊人口集中地如：未婚媽媽之家。在美國亦有專為中國人或黑人服務的巡迴車。

(3)必需有足夠的空間可以停放車輛，並舉辦借閱服務外，最好能應用不受天氣影響的場地。

3.業務：

(1) 圖書資料選擇

圖書巡迴車可裝載的資料量約五千冊左右，相當於一所小型的分館或閱覽室。圖書的類別可以考慮以適合居民的需要為主。如對象為婦女，則多準備美容、營養、服裝、家事、休閒、園藝等方面的書刊。如對象為老人，則可考慮醫藥保健、生活技能、休閒養身等方面的書刊。此外，雜誌、報紙、唱片、錄音帶等視聽方面的資料亦可包含在內。若對象包括多種不同語言的居民，在資料語言別上亦需考

慮。

(2) 資料需按類別陳列於架上，並備圖書目錄供民眾查詢，亦可做預約之用。

(3) 圖書巡迴車採開架式閱覽，借還手續宜儘量放寬，便利民眾。

(4) 擬定巡迴路線

總圖書館需按業務發展之不同擬定巡迴路線，及巡迴日程安排以方便巡迴車定期出車巡迴，或運書至巡迴站。或不設站，可以定點停留若干時刻，開放車門讓大家登車借書。

(5) 巡迴車之資料需定期更換

㈣ 人員訓練：

巡迴車的隨車服務人員需受過圖書館學專業訓練。因其在外服務，每到一處，與該處讀者接觸，必須瞭解他們的需要，解答他們的疑難，提供合適的書刊，並辦理推廣活動事宜，若沒有充沛的體力，隨機應變的能力及對圖書館專業知識的瞭解，則很難勝任。

㈤ 宣傳：

巡迴車開辦之初，對時間、地點和如何借還書等各項業務皆需廣為宣傳，讓民眾知悉。

㈥ 推廣活動：

按公共圖書館標準第三十八條：「圖書資料之參考、閱覽、出納工作及鼓勵閱讀之各種活動，除總館所在地由總館辦理外，餘由分館、借書站、圖書巡迴車分別辦理

之。」一般借書站規模較小，又無專業人員，因此辦理推廣活動的機會很少。但圖書巡迴車則不然，其資料量及服務人員之品質是可推動相當廣泛的推廣活動。

圖書巡迴車除了圖書資料外，亦可配置視聽設備如唱機、擴音器、電影機等，可以放映電影片或舉行唱片音樂會。此外亦可做「好書推薦」，組織「婦女讀書會」、舉辦「閱讀競賽」等推廣活動。

(七) 優點及應用：

圖書巡迴車是服務最廣，效益最大的巡迴活動之一。其主要的貢獻在於把圖書送到社會的每一個角落。並且透過巡迴車的服務，圖書館發現了新的讀者群，新的需要，也產生了新的刺激。不同語言、不同種族的人可以在巡迴車裏因書而相認相識，並且鼓勵那些從不上圖書館的人因閱讀而得到較好的知識和生活技能。

除了圖書館的推廣功能外，巡迴車亦可應用在教學資料的服務上。美國北卡羅林納州的費爾角技術學院(Cape Fear Fechnigue Institute)曾把視聽教學資料的服務，從靜態的陳列和供應到主動和動態的，以車子巡迴運送的方式運到各地區和學校，使得缺乏新設備或課程材料的學校和地區能享受到這種服務❸。這種教學資料巡迴的服務範圍包括：

1. 教學服務──凡舉教學資料的採購，設備的維修皆可事先勘察，事後考核。

2. 在職師資訓練──教師可以學習視聽教學設計、設備操

作訓練,視聽器材的維護保養。

3. 資料的製作供應——巡迴車中有十六釐米電影機、錄音機、乾裱設備、投影機、幻燈機、電唱機、透明圖片製作設備等可以製作各種教材。

4. 器材設備的保養修護——有技術人員隨車修護,亦可教導老師修護。

5. 服務對象——包括學生、兒童、教師、負責經管學校視聽教材的指導人員及負責修護和清理的技術人員。

教學資料巡迴活動藉巡迴車的幫助,促進了各區資料的交流;在有限的經費下,資源被充份廣泛的使用,也是另一種館際合作。

六、郵寄借書

郵寄借書是經由通訊方式向圖書館借書,也是推廣工作項目之一,但因所費郵資甚多,非一般圖書館所能負擔。一般通信借書,由圖書館支付寄出郵資,借書者支付寄還的郵資。郵寄借書是真正的「服務到家」,但因人力、物力有限,可考慮用在特殊讀者群,如盲胞、殘障人士,或其他不方便外出到館借閱者。

第二節　服務對象的推廣

服務對象的推廣即是擴大圖書館資料的使用者,使人人都有利用圖書館的均等機會。一般經常使用圖書館的讀者包括學生、公教人員及職業婦女。偶爾使用圖書館的包括兒童、

青少年、家庭主婦、退休人員；概因兒童需父母陪同前往；青少年課業繁重，前往圖書館的目的只為自習；家庭主婦只能選擇離家較近的圖書館以便照顧家庭起居；而退休人員多屬老年，行動不便，或健康不佳，較少外出。最常被忽略的讀者群包括幼兒（零到六歲）、軍人（指經常不定點服役在外者）、醫院病患、工廠工人、特殊語言群（包括外國人）、殘障人士及因特殊原因不能前往圖書館借閱者。因此，圖書館服務對象的推廣極待努力，有許多層面的讀者群未被開發。以下乃就年齡、職業、語言、宗教等的不同來探討圖書館服務對象推廣的可行性。

一、年齡別

按年齡別區分，除了經常使用圖書館的一般成年外，尚可開發的讀者群有幼兒、兒童、青少年、老人。

(一) 幼 兒

兒童服務是公共圖書館服務中重要的一環，而幼兒的服務更是兒童服務中新興的領域。由於社會的變遷，家庭結構的更改，小家庭制度、職業婦女及單親家庭的增多，迫使兒童教育的部份責任由家庭移向社會機構，圖書館的幼兒服務也因此而產生。美國圖書館協會有關文獻「現實：學習社會之教育改革」(Realities: Education Reform in a Learning)將「學習始自學前」(Learning begins before schooling)列為其首項目標。呼籲圖書館為社區各團體、機構提供資訊，並以各種方式服務家長，照顧兒童等，該文獻更呼籲政

府應撥款給公共圖書館提供家長教育及學前的服務，同時更極力建議聯邦及州法規明定托兒活動中提供圖書及圖書館資源的必要性❹。

圖書館的幼兒服務，其對象包括零到八歲的學齡前幼兒及家長。可以考慮與學校、社區內其他團體機構密切合作。其活動方式如下：

1. 幼兒故事時間。由兒童圖書館員唸圖畫書給幼兒聽，或由家長與幼兒共讀。

2. 親子活動時間。讓父母與幼兒經由玩具、遊戲、體能等多元化活動享受成長的樂趣。

3. 視聽覺時間。包括影片、偶劇欣賞、手指遊戲、歌謠、幻燈、錄影帶等種種動態型的活動。

4. 幼兒家長研習會。可藉讀書會、專題演講、座談等方式進行。

5. 成立親子諮詢中心。可蒐集研究性刊物、書箱問答、或專線電話等。

6. 幼兒文學園地。可提供國內外優良讀物，介紹各國重要兒童文學得獎作品及作家，並設成人研究區（或研究專櫃），提供兒童文學論著。

圖書館的幼兒服務，降低了讀者使用圖書館的年齡層，使幼兒習慣和同年齡的孩子共處，並培養其從小利用圖書館的習慣，且提供家長與幼兒共享讀物，參加活動及增進親子關係的機會，是值得圖書館積極推廣的工作項目。

㈡　兒　童

兒童推廣活動一覽表 （有★記號係經常被使用者）

㈠　**圖書館利用**

　★參觀圖書館

　★班訪

　　小博士信箱（工具書使用比賽）

　　寶物箱（專題資料文庫）

　　書單編製（館藏介紹）

　　圖書專櫃（相關資料展示）

　　班級文庫

　　查字典比賽

㈡　**一般性活動**

　★說故事

　★配合節日的表演，才藝競賽

　★美勞工藝活動

　　優良讀物推薦

　　兒童閱讀競賽

　　讀書會

㈢　**藝文活動**

　★展覽

　　講座、座談會

　　　討論會

　　　一般藝文活動

㈣　**視聽活動**

　★卡通放映

　　精選影片欣賞

　★錄音帶、錄影帶放映

　　與電台合作（廣播或電視）、增闢「好書園地」

　　木偶戲

　　兒童實驗劇

　　詩歌朗頌

㈤　**綜合性活動**

　　生活營

　　家庭之夜

　　親子活動

　　圖書館的兒童服務近年來已日漸被重視，因此對兒童的推廣活動而言，所注意的不只是量的增加，乃是質的提昇。有關兒童推廣活動，種類非常的多。經常被使用的有參觀圖書館活動、班訪、說故事、美勞活動、展覽、才藝競賽、卡通放映、錄音帶錄影帶放映等。其他活動也因各圖書館的人力、物力並設計者的巧思而不斷的被開發中，有些傳統性的活動更因業者的努力而顯出新貌。有關兒童圖書館的推廣活動詳情請參見鄭雪玫氏所著「兒童圖書館的公眾服務」及「美國公共圖書館的兒童服務」❺，在此，僅對各項活動做簡要說明。

1. 圖書館利用方面

 (1) 參觀圖書館：可安排個人或小組或團體至圖書館參觀，可藉心得報告或徵文比賽進行之。

 (2) 班訪：班訪是由圖書館附近的學校老師們與圖書館館員聯絡，安排特定時間對某班學生作圖書館利用教育，是很有效的團體閱讀指導方式之一。

 (3) 工具書使用推廣：台北市立圖書館民生分館曾推出「小博士信箱」❻，其方法是由圖書館提供益智問題，小朋友可從工具書中找到資料寄回，每週一次，答對者給予獎勵，積極鼓勵兒童從小認識圖書館、認識工具書的使用。其他如查字典、翻書比賽等皆屬此類活動。

 (4) 寶物箱(Treasure boxes)，及類似的書袋(Book bag)，增廣見聞的盒子(Enrichment cases)皆屬同一類型。內裝有相關主題的圖書或實物，供兒童借閱、學習，如小小巡迴文庫一樣，發揮活動性圖書館的功能。

 (5) 書單編製：無論是新舊館藏皆編入書單，或另闢新書簡介及各種資料簡介亦可。主要目的在讓兒童瞭解館藏，方便借閱。

 (6) 班級文庫：屬巡迴文庫的一種，圖書館與學校配合運用。

2. 一般性活動方面

 (1) 說故事

　　說故事是兒童推廣服務中傳統顯出新貌最典型的例子。一般圖書館為兒童說故事的方式有三,一是請義工來為兒童講故事,一是圖書館的兒童館員自己講,另一種方式是由兒童自己講給兒童聽,亦可用比賽方式進行。然而應用現代科技、電訊等新的溝通媒體來講故事已是資訊時代的新趨勢。電視、收音機、錄影帶、撥電話聽故事(Dial-a-Story)等突破了「說故事者」、「聽故事者」與「聽故事時間」等一切的限制。更有專為聽覺障礙兒童提供手語說故事的節目。圖書館的說故事活動已被重新界定❼。

(2)　配合節日的表演、才藝競賽等:如兒童節可舉辦繪畫、寫生等比賽。

(3)　美勞工藝活動:可請專家指導特殊工藝製作,如燈籠、陶瓷等製作。

(4)　讀書會:讀書會與優良讀物推薦、兒童閱讀競賽可合併設計。利用假期或特殊節日舉行,幫助兒童選擇好書,讀好書。美國有一「重視閱讀俱樂部」(RIF Club, Reading Is Fundamental Club)幫助家境貧困之兒童從一特別館藏借書,按時還書時則贈予一書做為獎勵,成果甚佳,值得推廣❽。

3.藝文活動方面,除了一般性的展覽外,可考慮親子溝通性的講座、討論會等,使父母與子女有互動的機會,也讓兒童的推廣活動擴及父母的教養層。

4.視聽活動方面,除了經常性的卡通、影片等之放映外,圖

書館應積極利用大眾傳播媒體，於電視、廣播節目中安排
兒童推廣活動，使其普及化。而木偶戲、兒童實驗劇、詩
歌朗頌等活動性大的表演應與文化中心合作演出。

5. 綜合性活動方面，近年來較常推出的綜合性活動屬青少年
生活營與家庭之夜，前者將活動帶至戶外，利用數天的假
期舉辦一系列的課程或活動項目。後者乃屬不分齡的活
動，男女老幼齊聚一堂，共享親子同樂之趣。以上這兩者
皆需社會資源的支持與配合，非圖書館工作人員能獨立完
成。

6. 玩具圖書館

除了以上諸項活動外，玩具圖書館的理念亦值得推廣，因
為除了書本外，陪伴兒童成長的就是玩具。目前許多大型
的百貨公司童玩部或大型玩具店亦附設遊戲部，兒童可以
享受免費的服務，但是不能借回家。玩具圖書館的成立，
其服務對象包括遊戲團體、遊戲設計者、成人識字班、心
智殘障學校、地方社會服務部、養老院、孤兒院、一般及
殘障行動不便的兒童等，由受過專業訓練的兒童圖書館員
為其服務，並做成各種紀錄以諮參考。此外，還需有修護
場地以維護破損的玩具。英國有玩具圖書館協會以關心殘
障兒童為旨趣❾，此點，頗值得國內兒童圖書館業務推廣之
參考。

(三) 青少年

談到圖書館對青少年的服務之前，首先要探討的是青少年的

特色。青少年是一個很特殊的年齡階層，大約從十三歲到二十歲左右。其生、心理皆由不成熟而逐漸趨向成熟；他們關心交友、感情、性的問題；好奇心強，喜歡刺激、冒險的事務，好追求新知及發明創造；富想像、愛思考、好辯論且反叛心強，情緒激動，常覺易被誤解；特殊才能開始明顯；要求獨立，脫離家庭約束。因此，面對這一年齡的讀者，圖書館該扮演的是一個不同於家庭的父母、學校的教師及長官的輔導者的角色。輔導的重點也應針對這些特點而設計：如何輔導其生、心理使之逐漸發展成熟；如何安撫其反叛情緒而導之以正；如何提供新資訊以滿足其好奇心與求知慾；如何陶冶品性使其有正確的人生觀及價值判斷能力；更應配合其特殊才能的發展，撇開傳統升學主義的藩籬，在大學之路外另闢谿徑，佐以職業並自學能力的訓練。這種種都需費心思量，才能真正辦好青少年推廣的工作。

在活動方式上，需採活潑生動的方式較能被年輕人接受，如座談、講演、生活營、新知探討會、交友系列講座等，可與學校合作，並請求社會資源的協助。

(四) 老年人

老人的定義如何？可以生理特徵機能，或心理需求現象或年齡等來區分。在法律上則多以年齡來界定老年。例如：聯合國人口年鑑卽採六十五歲以上者列歸老年人，屬依賴人口。我國公務人員的法定退休年齡為六十五歲，而老人福利法則指七十歲以上的人。因此，一般通稱老人係指六十五歲以上的人口❿。

台灣地區老年人口隨著醫藥的發達、經濟及社會的繁榮發

展，平均壽命正逐漸延長，未來人口結構傾向高齡化。面對此一問題，圖書館當如何加強對老人讀者群的服務，實是推廣業務不可忽視的一環。

老年人的特徵和面對的問題有那些呢？

1. 身體的：老人生理機能老化，體力日衰，疾病纏繞，常感疲倦，健康情況不佳。

2. 精神的：老人易面對親人病故，疾病死亡的威脅，感情較脆弱。又因小家庭制度的風行，常因獨居而心靈孤寂，缺乏休閒娛樂，精神生活較貧乏。

3. 社交的：老人多屬退休人員，不再參與社會中舉足輕重的角色，因此常覺無用感，不喜歡社交，不關心外界事物，懷念老友，關心家中小輩。

4. 經濟的：退休後的老人若無經濟來源，則生活上常感沒有保障；無論是獨立居住或倚賴兒女，經濟問題總是他們的困擾。

以上四種情形是一般老人最容易碰到的問題。關於醫療與經濟上的問題，曾仰賴社會福利機構的協助，圖書館所能提供的服務有限；而對於精神與社交上的問題，圖書館較能提供正面的輔導。圖書館能提供的老人推廣活動有那些項目呢？

(一) 針對身體上的：

1. 圖書館應加強對老年人服務的設備：如放大鏡、顯明的標示、斜度不大且有扶手的樓梯、書架的高度、地板的滑度等。

2. 在館藏上考慮醫藥、保健、運動等蒐藏。

3. 在老人安養機構中，設置圖書巡迴箱。對個人則可考慮郵寄圖書的服務，將書送到家。

4. 舉辦保健、衛生方面講座，指導老人維持身體健康。

(二) 針對精神上的：

1. 定期舉辦座談會、識字班、各類研習班以滿足其求知慾與充實休閒生活。

2. 安排幻燈、影片欣賞或各類文康活動。

3. 配合研習班的成果，舉辦健康比賽、慢跑、打拳、登山等活動，讓老人有多方參與機會。

4. 鼓勵接受再教育再進修、學無止境的精神。

5. 於圖書館設置老人活動室，專供老人群集喝茶、聊天、閱報、下棋、講古等之用。

(三) 針對社交上的：

1. 提供老人參與圖書館義工服務的行列。有些大學以上高教育程度的退休老人正是義工的最大資源，圖書館若能善加運用，對推廣活動助益不少。

2. 可舉辦學術研討會。

3. 安排老人活動時間，由老年人親自參與設計、主持，發揮其才能。

(四) 針對經濟上的：

1. 與社會福利機構合作，協助解決老人經濟問題。

2. 開辦退休金應用的講座，指導老人投資、分配、理財、再就業等觀念，俾能獨立生活。

總之，老人問題已成為世界性矚目且需共同探討解決的問

題，圖書館面對此一社會特質，當思如何盡力推廣其終身教育者的角色，使能完成老人「黃金時代」的理想目標。

二、職業別

按職業別區分，除了經常使用圖書館的學生、公務人員、職業婦女外，尚有許多行業的讀者群是屬於未開發者。圖書館若能確實做好地區調查統計，便可發現「隱藏」的讀者群。這些讀者群包括：

(一) 家庭主婦

家庭主婦利用圖書館的資源比例不算高。教育程度稍高的家庭主婦會利用家務之餘到圖書館借書，但一般人則疏懶成性或因不方便出門而減少了對圖書館的使用意願。基本上，她們也不清楚圖書館到底能提供什麼服務。而家庭主婦為數甚多，甚具開發潛力，圖書館可以考慮運用圖書巡迴車定時、定點巡迴各社區，提供家庭主婦較關心的主題如家事管理、育兒、美容、插花、裝潢、服飾等圖書與雜誌；或到社區開辦生活講座，組織讀書會等，並宣導圖書館的利用法，使家庭主婦有機會認識圖書館的功能並充份利用圖書館的資源。

(二) 軍　人

按我國兵役法規定，男子屆滿役齡需服役二至三年。這段期間常隨軍隊調至各偏遠地區或離島稀有人煙之處，漫漫歲月實需大量精神食糧以解其孤寂。圖書館若能注意到這群讀者的需要，將為圖書館的服務里程帶上新的高點。圖書館為這些經常調動的軍人可以考慮的服務方式有：設置巡迴箱，定期定點巡迴服務，

且要經常汰舊更新，並注意書刊的內容是否適合，必要時亦可提供進修服務。軍營圖書館在歐洲起源甚早，一九三〇年代在蘇俄、法國已甚普及，值得我國效法。

㈢　醫　院

醫院裏除醫生、護理人員外，有許多的病患及家屬，在漫長的治療過程中，多半在焦慮、等待、踱步與嘆息聲中過去。圖書館對醫院能提供的服務，不是醫學上專精的醫療科技，乃是針對病患及家屬的一般醫療常識，保健、休閒或小說等類輕鬆性讀物。圖書館可以採巡迴站或巡迴箱的方式提供服務。地點可由大型醫院到小型的診所，或衛生所等基層單位，以求能深入民間。例如：父母帶嬰兒至衛生所打預防針時，亦可順便借閱有關育兒常識、保健衛生等刊物，可謂一舉兩得。

㈣　工　廠

工廠有大批的工人、作業員，在忙碌的工作之餘，往往缺乏娛樂、社交等稍具變化性的活動。圖書館可設置巡迴站、或以舉辦演講、座談、生活營的方式為工廠人服務。

㈤　運輸業

運輸業如火車站、加油站、飛機場等旅客眾多之處亦可考慮設置巡迴箱。美國在十九世紀後期即有「鐵路圖書館」興起，為員工、家屬與旅客們服務。圖書館若能與交通運輸業者配合，必能使書香散播各地。

除以上各項外，礦區、農、林、漁、牧業、商業團體、社會服務業、個人服務業等，圖書館可因各種需要而考慮不同職業別

的服務。

三、語言別

為特殊語言及非本地本國之文化居民，或因應歸國華僑子女之需要，圖書館應提供不同語言別之圖書資料為其服務，或以巡迴車裝載圖書資料至各社區，為當地居民服務，以重視少數民族的閱讀權力。

四、宗教別

圖書館為服務不同宗教信仰的讀者，除了精深的教義、宣教書之外，凡舉一般性教義介紹，宗教比較，基本工具書如字典、辭典、百科全書、年鑑、統計、大事紀等皆應採購。並可與宗教團體合作，以拓展圖書館的據點，如建立小型閱覽室、圖書巡迴站、巡迴箱等，由該宗教團體派人協辦圖書出納事宜，如此定期更換，必能深入民間。

五、殘障人士

殘障人士指的是視覺障礙、聽覺及平衡機能障礙、聲音或言語機能障礙、肢體障礙、智能障礙及其他多重障礙者。

㈠ 視覺障礙

視覺障礙依程度可分為盲和弱視，盲是完全無法利用視覺接受教育的，而弱視經過特殊方法或設備予以輔助則可接受教育。圖書館對視覺障礙者的服務，除了盲與弱視者外，現已擴大至因身體或視力限制而不能（或不方便）閱讀傳統式印刷資料的人，如眼睛動過手術、視網膜部份脫離、玻璃體混濁不清者及其他。

視覺障礙者需要圖書館為其特別服務的原因在於閱讀資料形式的不同。視覺障礙者的需要的資料型式為點字圖書、大字本圖

書(Large Type Books)、錄音帶及有聲圖書、磁性錄音帶、立體圖形等觸覺資料。這些特殊型式的資料都不是坊間能隨意購得的,需經特殊機器與專業人員轉譯製作而成。

視覺障礙者所需要的資料類別包括醫療的（如障礙成因、復健、輔助器材等）、求學的（如特教學校、重建機構、點字訓練班等）、就業的（如職業訓練機會、按摩等）、法令的（如殘障福利法）、生活與安養的（如特殊安養機構）、社會福利以及與一般正常人同樣的資訊（如語言、音樂、戲劇、樂器等休閒娛樂方面的資訊,特別為盲生所喜愛）。圖書館除了蒐藏視覺障礙者所需的特別資料外,尚可考慮的服務方式有:

1. 設視障者專用閱覽室及會議討論室。

2. 幫助視障者以較便宜的價格購買閱讀所需之儀器。

3. 提供電話借閱、參考諮詢暨免費郵寄服務。

4. 設置轉譯資料中心。日本神戶公共圖書館設有專人單獨為盲胞誦讀書刊的措施,所有該盲胞所欲閱讀之資料而館方（或點字出版中心）未有藏書者,即刻誦讀且予以錄音❶。

5. 出版盲人通訊。

6. 設專人做個別閱讀指導。

7. 加強圖書館各項設備,以方便視障者進出。如:增加觸覺標示,製作大尺寸與色彩鮮明的視覺標示和聽覺說明,保持走道的寬暢,設導盲磚、凸紋地毯等類似裝置。

8. 閱讀設備,如錄音機、點字機、放大鏡等輔助器材。

9. 利用巡迴車或巡迴書箱至各地服務。

10. 經常舉辦各項推廣活動:如點字訓練班、藝文活動比賽、

歌唱樂器演奏等，鼓勵視障者參加團體活動，拓展其生活空間與視野。

11.加強館際合作，與其他機構交換資料為視障者服務。

除以上諸項活動外，目前國內圖書館對視障者的服務最感無力的是資料缺乏，取得不易。因國內沒有盲人資料出版中心，無論是點字圖書或有聲資料皆由各盲人機構設法製作或經由其他管道取得，大字本圖書更是少見。在人力財力不足，且專業人員缺乏下，所能提供的資料種類相當有限，且有重複現象。美國設有盲人印刷處(American Printing House for the Blind)專門出版盲人資料，供應全國圖書館之需要❷，我國也極需成立盲人資料出版中心，才能提供視障者較完整的服務。

(二) 聽覺、聲音、言語機能障礙

聽覺障礙在等級上可分為全聾或重聽，而重聽亦各有不同等級之區分，如中度、輕度等。聲音或言語機能障礙亦可按程度區分不同的等級，如口吃或根本無法與人溝通的全啞。

聽覺或聲音、言語機能障礙者的主要困難來自言語和文字間的差距。他們和視障者的不同在於視障者無法使用傳統形式的圖書資料，但他們祇需加上詳細解說、手語及助聽器等器材設備的輔助，便可應用圖書館的館藏。因此，圖書館對聽覺障礙者的服務在於加強器材的設備，如全聾者，加強文字說明及個人手語閱讀指導，對重聽者可由助聽器、手語雙重並用。口吃與全啞者亦需使用手語或加強語言溝通。但聽覺或言語機能障礙者雖可閱讀印刷資料，但由於言語與文字間的差異，一般語文程度普遍不佳，

圖書館可採用生動活潑的視聽媒體來引導其閱讀。此外，亦可設計各種適合此類讀者群的推廣活動，以幫助他們得以充份利用圖書館館藏。例如：為聽覺障礙兒童提供手語說故事節目等。

㈢　**肢體障礙**

肢體障礙者的區分更多，從上肢障礙、下肢障礙、全身癱瘓臥床到可以稍為行動者，有相當大的差異。肢體障礙者的主要障礙來自其行動上的不方便，而非資料本身。圖書館對肢體障礙者的服務，應加強建築設備和空間配置，如：適合輪椅的坡道、電梯、電話、盥洗設備，寬敞無障礙或突出物的走道，書架、傢俱、桌椅、飲水機的高度設計，門檻的去除等。此外，對無法（或不方便）親自到館借閱的讀者，宜考慮巡迴車、巡迴箱、郵寄圖書等送到家的服務方式為其服務。

㈣　**智能障礙者**

智障的程度有輕、中、重、極重度的不同，有些智障者只是單純的智能不足，有些則又有肢體病變如失聰、眼疾或肢障等多重障礙。智障者目前在國內受到的照顧非常有限，不僅教育、社會福利、醫療等基本生活供應不足，精神層面的幫助更屬鳳毛麟角。一般人常認為智障者一輩子均處在相同的智力狀態，屬依賴人口，只會給社會帶來麻煩和沉重的包袱。事實上，許多智障者可透過教育逐漸改變其行為能力，由依賴人口轉為社會資源。因此，基於人道觀點，也基於社會需要，提供智障者一個終身的教育的機會是很必要的。身負終身教育責任的圖書館正是提供他們社會資源最好的地方。

改善智障者的受教權關係到社會福利經費、殘障福利法、醫療保險、師資培訓、養護中心及民間團體等諸力量的結合，非圖書館可獨立完成。那麼圖書館可為智障者做那些服務呢？

1. 蒐集有關智障者的各種知識、資料，教導智障者的家人正確輔育智障者的方法。

2. 鼓勵智障者的父母讓智障者多有受教育的機會。

3. 介紹其相關的特殊教育、職業訓練和就業輔導等機會。

4. 透過媒體提供有關智障的正確知識與訊息，讓社會大眾了解智障者，接納智障者。

5. 聯合特教專家，經由玩具、遊戲並各種資料，增益其學習能力，使智障者能經常到圖書館來，經由學習而達終身教育之目的。瑞士設有智障圖書館，擁有數千種設計性及工程性玩具，還有專人協助智障者家長擬訂所需的玩樂計劃，並外借玩具、電腦軟體、書本及錄影帶等資料❸。國內特殊教育還在啟蒙階段，此種先進的做法頗值得國內圖書館界參考。

6. 提供參考諮詢服務，或書面信箱通訊，聘請學者專家指導。

總之，對殘障人士的服務是圖書館推廣工作中不可忽視的一環。以往限於科技的發展，資料種類及服務方法無法突破；如今圖書館已運用各種媒體型式，相信必能對以往忽略的讀者羣做更進一步的服務。

六、特殊讀者群

特殊讀者群包括那些因特殊原因，以致不能和常人一樣隨意到館閱讀者，如：監禁處、育幼院、老人院、安養機構、少年感

化院、中途之家、烟毒勒戒所等。這些特殊讀者群往往沒有單獨外出的自由，需經由管訓單位的聯絡，才能將資料送達。經常使用的方式是巡迴箱的服務，探定期定點有效更新。我國浙江圖書館曾建立「監獄圖書流通站」，有一邵姓青年在服刑期間學得電工知識，以致出獄後開了一家個體電器修理店，並著書立說發表於報章雜誌❶。監獄圖書館的功效如此之大，是真正教導犯人改過自新，且增加其就業之知識技能，並使其出獄後能重新做人，過一個新的生活，實值得圖書館大力推廣。但所提供之書籍宜全面化，各類都有，不能落入八股、勸化之文，否則難收效益。

綜觀圖書館服務對象的推廣，在項目和做法上有許多和地區性的推廣重疊，如巡迴車、巡迴站、巡迴箱等。但事實上，所謂「地區之推廣」，乃指「為地區上之居民」服務，「人」才是服務重點而並不是地區，因此圖書館服務對象的推廣與服務地區的推廣常兩者不分，推展一方即為另一方舖路。而服務對象的推廣，除了在地區發展外，更可以在總館施行，成立各種中心（如盲人資料中心等）。此乃服務對象的推廣與地區性推廣之不同處。

附 註

❶ 鄭雪玫，「美國公共圖書館的兒童服務」，<u>中國圖書館學會會報</u>，第 32 期（民國 69 年 12 月），頁 38。

❷ 王知言，「流動圖書館」，<u>民生報</u>，第 7 版（民國 69 年 12 月 16 日）。

❸ 林炳生譯，「巡迴活動的資料服務」，<u>教育資料科學月刊</u> 3，4，5（民國 61 年 4 月），頁 18-22。

❹ 鄭雪玫，<u>資訊時代的兒童圖書館</u>。（台北市：台灣學生書局，民國 76 年），頁 60。

❺ 參見鄭雪玫，「兒童圖書館的公眾服務」，<u>兒童圖書館研討會實錄</u>。（台北市：台灣師範大學圖書館，民國 72 年 5 月），頁 41-53；及同❶，頁 37-43。

❻ 曾淑賢，「台北市立圖書館民生分館兒童室推廣活動」，<u>台北市立圖書館館訊</u>，第 2 卷 1 期（民國 73 年 9 月），頁 21-22。

❼ 同❹，頁 88。

❽ 鄭雪玫，「兒童圖書館的公眾服務」，<u>兒童圖書館研討會實錄</u>。（台北市：台灣師範大學圖書館，民國 72 年 5 月），頁 52。

❾ 薛吉雄譯，「玩具圖書館」，<u>教育資料科學月刊</u>，第 15 卷 4 期（民國 68 年 6 月），頁 40。

❿ 王國聰編，「圖書館對老年人的服務」，<u>圖書館學沈思</u>，（台北市：國立台灣大學圖書館學系 74 級畢業班，民國 76 年），頁 165-176。

⓫ 藍乾章，「訪視文化中心圖書館所見」，<u>中國圖書館學會會報</u>，第 36 期（民國 73 年 12 月），頁 51。

⓬ 郭麗玲，「圖書館對盲人的服務」，<u>教育資料科學月刊</u>，第 15 卷 3 期（民國 68 年 5 月），頁 3。

⓭ 采 葛，「瑞士智障圖書館」，<u>中國時報</u>，30 版（民國 78 年 12 月 8 日。）

⓮ 華僑日報，「浙江圖書館建立監獄圖書流通站——為大牆裏犯人提供精神食糧」，<u>華僑日報</u>，第 11 版（民 78 年 7 月 30 日）。

第五章 推廣活動項目㈡

第一節 服務內容的推廣

服務內容的推廣也稱做館務的推廣。基本上,推廣活動並沒有一定的形式,但憑圖書館員去發掘讀者的需要而設計出各種活動項目。若人、時、地更換,活動項目亦需汰舊更新,才能趕上時代潮流。例如二、三十年前推行的「聽唱片學英語」活動,眾多莘莘學子齊聚一堂,蔚為大觀,如今早已被各類補習班、視聽場所取代了。但也有歷久不衰的推廣活動項目,只需在內容上更新即可。以下所列即為經常被圖書館推廣應用的活動項目。

一、圖書徵集

在圖書資料徵集方面,可推廣的活動項目有:

㈠ 捐書運動

無論是大型圖書館或小型圖書館,都會區或鄉村偏遠地帶,捐書運動一直被視為充實館藏的有效活動之一,歷年來也常常得到民眾的肯定與支持。捐書運動要明定時間,獎勵辦法和擁有對捐贈圖書的處理權,才能使圖書館運作正常化。

㈡ 讀者介購

圖書館可成立讀者介購卡,讓讀者參與選書委員會。如此所

添購之圖書更能符合讀者需求。

㈢ 代購圖書

許多海外版或特殊管道等不易購得之圖書，圖書館可考慮為有需要之讀者代購。

二、讀者服務

這裏的讀者服務指的是狹義的閱讀指導及讀者顧問。因推廣本是閱覽工作的延伸，由最基本的典藏、閱覽、出納、流通、統計發展出閱讀指導，爾後成立參考部門，再推廣及於其他活動項目。因閱覽與參考為另一主題，不在本章討論範圍內，茲僅就與推廣工作有關的閱讀指導敘述如下。

㈠ 刺激閱讀活動

圖書館讀者服務的目標，正如美國杜威(Melvil Deway)博士所說「在最合適的時間提供最合適的書給最合適的讀者」(To provide the right book to the right reader at the right time)。因此，在基本的閱覽流通之外，圖書館當思如何引發民眾閱讀興趣，如何指導讀者找到他所需要的資料而喜歡到圖書館來。一般採用的活動方式有：

1. 新書介紹或新書展覽。利用展覽櫃或書皮、海報、新書目錄將新書展示在讀者眼前，以刺激閱讀興趣。

2. 好書推薦。利用讀者意見調查，或圈選好書活動，或以專家評論方式，將好書推薦給讀者。

3. 組讀書會或討論會。成立「圖書館之友」等組織，將喜好讀書的讀者群聚集，提供場地、書本、專家學者的指導，

一起討論閱讀某一本書。

(二) 閱讀指導

1. 設讀者顧問(Reader's Advisory Services) 指導讀者選擇最合適的資料。

2. 直接指導讀者籌劃閱讀計劃。

3. 建立各類圖書詳目暨專門書目，指導不同讀者按需要系統閱讀。

4. 與參考部門密切合作，解答各樣疑難諮詢。

閱讀指導工作若設有參考部，可由參考部設計執行，若無參考部，則由閱覽部設計執行。各種推廣活動，可由推廣部與閱覽部共同研商設計，以更活潑的方式服務讀者。

三、館際互借

館際互借是館際合作的項目之一，借「互借辦法」而互通圖書資料之有無，以方便讀者借閱他館館藏。館際互借一般由閱覽組或參考組執行，也有設於推廣組下的，按各館組織而定。

四、資料複製

按民國七十四年七月修正公布著作權法第三十條：「已發行之著作，得為盲人以點字重製之。」第三十二條：「供公眾使用之圖書館，應閱覽人之要求，供個人之研究，影印已發行著作之一部份或揭載於期刊之整篇著作。但每人以一份為限。」

複製是圖書館為讀者服務的經常項目之一，尤其是特殊讀者群與殘障人士更需點字或錄音等複製資料。圖書館在為讀者服務時亦需注意著作權之修定及古籍之保護，以免資料受損。

一般資料複製的範圍包括(1)一般圖書的一部份，(2)報紙雜誌論文的全部（但應以發行後經過相當時間才可複製），(3)珍本、絕版、或難以採錄到館之資料。而複製的方式包括：印刷、攝影、複印（放大或縮小）、錄音、錄畫、顯微縮影、點字、或其他有形的再製❶。有時翻譯文件亦被包含在內。英國大英圖書館設有翻譯服務，凡為自用而非出版的文件皆可部份或摘要翻譯，一般以書籍和文章最多，翻譯採收費方式，翻譯的複本可作出借或購買之用❷。此項服務在國內圖書館還很少看到。

總之，複製資料的目的應為學術研究及私人利用，其公開利用或營利者則為侵權，圖書館的複製管理應由一夠資格的專業館員負責，以免侵犯著作權❸。

五、通俗讀物閱覽

通俗讀物指的是有別於學術性與知識性的一般暢銷讀物，如流行刊物、新書、新版本及有時效性的大眾閱讀資料。通俗讀物經常佔閱覽出納統計中極高的比率，其流通量與速率比其他類型資料為高。一般公共圖書館對其保存常持不同看法，有的圖書館認為既是館藏，就該與其他資料同等處理典藏，有的圖書館則認為不都具有學術性和保存價值，相當浪費空間。到底圖書館對通俗讀物的管理是該加強或保持距離呢？

美國巴爾底摩郡(Baltimore Country)的公共圖書館館長魯濱遜(Charles Robinson)曾致力於小型圖書館的經營。他的理念是「從事永久保存知識的工作不是公共圖書館的功能，應由大學圖書館來做，而公共圖書館要走向『以讀者需要為主的公共書店』方向」。所以他努力購買通俗性的讀物，淘汰不常閱讀的書

籍，以書的流通量為追求的目標。事實上，通俗圖書館在我國發展甚早，民國四年，政府即頒布「通俗圖書館規程」十一條，努力推廣通俗圖書館以饗大眾，爾後逐漸走向學術化的路子，並不特別強調通俗讀物的功能。

通俗讀物既為大眾所需要和喜愛，圖書館限於財力、人力的有限，對通俗讀物應可打破傳統慣例，而做一番新的考量。處理通俗讀物，可以考慮幾種方式：

㈠　成立許多小型的分館或閱覽室，或借巡廻站、巡廻箱、巡廻車推廣之。

㈡　於大館內成立通俗讀物閱覽區(browsing areas)，讓讀者可以很從容的瀏覽閱讀。

㈢　圖書出租方式。一般坊間亦有許多出租圖書，民眾既肯花錢閱覽，可見得合理租金的收取是可以被民眾接受的，問題是圖書館是否提供了他們真正迫切需要的資訊呢？

通俗讀物的編目與典藏出納應有別於一般館藏，可以更簡化，使流通的速率加快，否則具有時效性的書籍一旦在編目組作業太久，即失去其時效性而被淘汰了。通俗讀物經過一段時間的流通後方可考慮典藏問題，並不是每種通俗讀物皆需入藏，其淘汰性相當大。圖書館若注重通俗讀物的閱覽問題，必能吸引更多的讀者上門。

六、讀者意見牆

讀者意見牆的設置，有助於館方與讀者之間的雙向溝通，讓讀者有話說是改進圖書館服務的最佳途徑。意見牆的設置除了反

映對圖書館的意見外，亦可反映社會上所發生的形形色色，許多
寶貴的意見若由館方彙整交付有關單位參考，亦是行政單位的另
一助力。

七、視聽資料推廣

視聽資料在一、二十年前，在國內屬新興媒體，非常稀奇且
價格昂貴，被應用在圖書館推廣工作上，常有顯著的功效，如影
片、卡通放映、幻燈、動畫、唱片等。漸漸的，新媒體的發明取
代了舊媒體的功能，如錄音帶的普及取代了唱片，錄影帶的盛行
也代替了影片，動畫的吸引力及最新的影碟、光碟片等之盛行，
不久的將來會再次將不適用的的媒體淘汰掉。雖然媒體的發展如
此的日新月異，而圖書館管理與運用媒體的觀念却仍停留在古老
的階段。直到如今將視聽資料當財產，甚至比圖書資料更寶貴的
鎖在庫房中的圖書館比比皆是。

在視聽器材如此進步，電化設備如此發達和普遍的今天，圖
書館對視聽資料的態度當有所改變，不應再把視聽媒體當作「特
殊而稀奇」的物品「推廣」之。視聽媒體如今只是有別於傳統圖
籍的另一種資料型式罷了，當思如何蒐集、整理並且更有效的運
用視聽媒體，使其能發揮出資料的特性，更進一步的服務讀者才
是。

八、展　覽

㈠　意義：展覽的意義是藉著文字、圖片、圖表、照片、手
　　稿、剪輯或實物等綜合性的陳列、展示與說明，使參觀
　　者對某一特定主題有具體而深刻的認識。基本上，展覽
　　是屬於靜態的，若佐以多種媒體如：幻燈、錄影帶、影

片、演講、或當場示範表演等，則成為動態型的活動。

(二)　類型：展覽大約有四種型

1.經常展覽：經常展覽又稱普通展覽，或一般展覽；是藉展
覽櫥窗或專櫃或專室對單一主題的陳列品作有系統且經常
性的展出。經常展覽有幾個特點❹：

　(1)　設置地點鮮明，如同百貨業的櫥窗，佈置花俏，吸引
　　　顧客上門。

　(2)　長期性展出，讀者一進門，總會感覺它的存在。

　(3)　主要陳列品變換較少，只會隨時加入或局部更新。

　(4)　有系統的介紹館藏特色。

　(5)　陳列品以現成的，容易獲得的居多。

　(6)　規模不大，所費人力、物力亦不多。

　圖書館舉辦的經常性展覽有：新書介紹、新書陳列、新聞
　圖片展示、圖書館利用說明、特藏圖書介紹、專題書展、
　特殊文物陳列等。各圖書館可因其場地及活動而設計出不
　同的項目。

2.特別展覽：特別展覽又稱臨時展覽，其所以稱「臨時」，
乃指有別於經常性的展覽。其實,特別展覽更需經過設計、
規劃及特殊資料的蒐集等程序，絕非臨時舉辦的。特別展
覽是針對某個特殊主題，運用各種管道，集中各類型的資
源，予以整體的表現，使參觀者能迅速且深刻的了解所要
表現的主題。特別展覽的特點在：

　(1)　需挪用寬大的場地以方便會場佈置，若有展覽專室更
　　　佳。

(2) 展覽時間有一定的期限。

(3) 需經特別規劃設計。

(4) 有明確的主題和專門性的內容。

(5) 所用的資源多樣化，並包括各種聲、光等多媒體的動態展示，生動活潑、吸引人且具震撼力。

(6) 展品多屬平時較不易看到、蒐集到的資料。

(7) 規模較大，所投下的人力、物力較多。

3. 巡廻展覽：巡廻展覽乃就已設計好的展覽，更換不同地點作巡廻展出，使其他地區亦可享受到展覽的好處。對資源較缺乏，或人力財力較不足的館而言，是相當節省而具果效的。巡廻展覽需注意包裝、運送、展出時間的調配，人力的支援，展出單位的配合度等。

4. 交換展覽：交換展覽就是將各館所舉辦主題內容不同的展覽，作館際間的交換展出，如此雙向交流，彼此支援，更能節省經費、人力而收到有效的成果❺。

㈢ 設計重點：展覽的設計一如其他推廣活動的設計一般，需經過審愼的需要分析、主題選定、內容計劃及評估外，另有幾個重點值得注意：

1. 展覽應儘量以表現圖書館的館藏資料為原則，使讀者經過展覽活動後，能激發其研讀興趣，擴大其研讀範圍，更進一步的利用館藏資料。

2. 成功的展覽需精編展覽目錄，以供讀者參閱。如此，縱使展覽期限短暫，亦留下可供參考的資料。

3. 多考慮與相關主題的民間機構、團體、協會共同合作舉辦

展覽，在人力、專業知識、財力、物力上皆能得到很大助
益，從豐富展覽的資源，增加展出的吸引力。

4.圖書館應與當地的文化中心或社教館配合，考慮何種展覽
適合在圖書館展出？何種展覽需在文化中心或其他館舍展
出？因為展覽若佐以多媒體資料，或專家演講、示範等，
其場地、設備、器材皆非圖書館所能單獨提供的。

九、書　展

書展是展覽的項目之一。因為「書」是圖書館的重要資源，
所以在各項展覽活動中，書展最具相關性與代表性。書展的種類
大約可分為小型、中型、大型及國際書展等四種類型。小型、中
型的書展，圖書種類較少，場地較小，適合圖書館舉辦。而大型
或國際性的書展，關係到許多書商、出版社、國外的出版品等，
需要很大的空間和人力，經常由新聞局與出版協會合辦；歷年下
來，為人詬病者多，幾淪為「趕集」或「書籍拍賣會」。書展的
特色既消失，一般人對它的期望也日漸冷卻。到底成功的書展需
具備那些特色？圖書館能獨立於商場氣氛之外，為書展注入新的
生命嗎？

書展的特色有那些？

㈠　書展要突出「最新」、「最好」的兩項特色。「最新」
的圖書需出版商、個人出版業者、政府與學術機構團體
的配合，才能讓不同單位出版的最新資料全數展出。而
「最好」的圖書更是書展不該放棄的宗旨。好書不一定
是新書，流行書、熱門書也不一定是好書，好書經常是
歷久而彌新，或可能長久未再版。書展單位可考慮由學

者專家，組成「專責小組」共同選出某類好書，或展而兼售，或展而不售皆可。

(二)　書展的內容不可太雜，太雜即失去特色，此點亦為歷年來書展最大的敗筆。書展當有目標，主辦單位需針對目標而決定書展的主題和設定展出的內容。近年來，分類書展的觀念不斷的被提及。以往傳統綜合性的書展給人「廟會」、「市集」的感覺很深，商場競爭的氣氛太濃，若間隔時間長一點，可能較好。出版商會盡心規劃設計以饗讀者，太頻繁了會造成過度刺激，必會顯出疲態。而分類書展則可推陳出新，變化無窮。無論是學術性強的「專業書展」，如科技、文史哲、企管、政府出版品，或強調某一主題的「專題書展」，如女作家書展、小說、散文大展，得獎作品展等，或老少咸宜的青少年兒童文學展、圖書文具用品聯展等皆各具特色，讓各類性質的圖書、雜誌能有系統的整理展出，也可刺激各類學術和知識的蓬勃發展。

(三)　書展的場地要大，服務要週全。一般書展給人感覺是擁擠不堪、揮汗如雨。主辦單位若能注意場地、展品擺設，通道的寬敞，閱覽路線的流暢、空調等，必能使參觀者更樂意逛書展，參觀書展。展覽會場若能附設盥洗室、冷熱餐飲點心處、休憩座椅、詢問台、托兒中心、兒童遊戲室，或提供書袋、紙箱、訂書機等包裝用品，必能給予讀者更週全的服務。書展場地若經過精心設計，必要將可考慮售票方式，過濾一些只為閒逛而進入的人

潮。

(四)　當設計各類活動為書展帶來高潮。書展精心設計，經過
　　分類、分期、分部的展出，供參觀者充分的比較、批評、
　　審閱，應可設立獎勵辦法，使努力的展出單位得嘗成功
　　的喜悅。如讀者票選好書，或請專家學者針對此次書展
　　的優缺點作一探討，或以評獎活動帶來高潮，皆會使參
　　展者與參觀者對書展有更美好的期待。

　成功的書展需要諸多單位的共同協商配合，才能逐漸擠身國
際之列。身為書籍主導市場的圖書館，應可撤棄濃厚的商場氣息，
為成功的書展立下新的導向。

十、研習班

　圖書館舉辦各類研習班的目的，是提供民眾一個增進知識、
技能與充實休閒生活的機會。社會上有許多人因環境、家庭等因
素，未能接受正規的學校教育，或想學得某項技藝，因經濟或其
他原因而未能完全如願。圖書館身負終身教育之社教功能，理應
為民眾開辦各種研習班，使其藉此對各類學問與各項技藝能有入
門的機會。爾後更可藉圖書館館藏逐步的充實自我。

　圖書館可開辦的研習班，種類很多。

(一)　知識性的，如語文研習班，可開辦英語、日語、法語、
　　國語、方言等各種語言，尤其對不識字的家庭婦女，是
　　一個很好的進修機會。

(二)　技藝性的，如插花、書法、攝影、繪畫、剪紙、陶瓷、
　　吉他、口琴等。

(三)　休閒性的，如太極拳、外丹功、土風舞、茶藝、棋藝等。

　　各類研習班之開辦，圖書館需考慮幾項因素，如時間、地點、課程安排、教材設計、師資聘請、招生、經費來源、證書頒發、出勤紀錄等做長、短期的調適，才能使研習活動發揮它的功效。

十一、演　講

　　演講是圖書館經常舉辦的推廣業務之一。演講的類型有二：一為通俗性的演講，為要啟發一般的或特種的知識；一為學術性的演講，為要研討學術成就與心得，作同道者之參考。圖書館當為不同需要的民眾訂定不同的主題，讓通俗性與學術性穿插進行。亦可設定期限，在期限內配合主題做系列性的講座，讓演講活動有計劃的進行。

　　演講活動需考慮的項目如下：

　㈠　主講人的邀請：什麼人最適合所訂定的主題？他的口才、表達能力、專業知識如何？

　㈡　場地與設備：大型演講與小型講座的場地就有很大的不同，相關的器材設備，如麥克風、銀幕、視聽器材、錄音設備等的放置地點亦需改變。

　㈢　觀眾的邀請與人數的預計：主辦單位應事先以宣傳、海報或大眾傳播工具報導讓民眾知悉，其次則可函請相關單位或人士前來聽講，亦可留下聽眾資料以便來日聯絡。

　㈣　現場服務：演講會現場需有服務人員以接待講員、安排茶水、維持聽眾秩序、分發資料並錄音。

　㈤　記錄整理：若將演講會作成文字記錄，將來彙集成冊亦可出版，唯記錄稿需徵得演講人之過目或同意，以維護

其著作權。

㈥　圖書館若與當地廣播電台洽妥，將各次演講錄音廣播，
　　則更能收啟迪民智，廣傳知識之宏效。

十二、藝文活動

藝文活動的範圍很廣，靜態型與動態型的活動皆有。經常舉
辦的有：才藝表演、詩歌朗頌、音樂會、園遊會、元宵燈謎、精
緻詞曲演唱、教育性的綜藝活動和比賽活動等，多數配合特定節
日舉辦。

以上所列第八項至第十二項的展覽、研習班、演講、藝文活
動等項目屬社教活動範圍，早期未有社教館或文化中心時，皆由
圖書館辦理。現今，若同一地區兼有圖書館、社教館或文化中心
時，可以將較動態性或需要較大場地的活動項目移至社教館或文
化中心或與其合辦。因為圖書館是閱讀與使用資料的場所，大批
人潮的進出或喧嘩的場面，皆會干擾讀者的閱讀。於場地、設備、
人力、專業素養方面，圖書館亦會有力不從心之感。若圖書館與
文化、社教機構能協調合作，共同舉辦活動，對人力資源的運用，
應是最完美的配合。

第二節　研究發展型的推廣活動

研究發展型的推廣活動不是直接服務讀者的活動，乃是透過
各樣的調查統計、輔導訓練、研究發展與各館之間的合作，以尋
求更合適或更好的方法來服務讀者。研究發展型的推廣活動，其
對象通常是從事圖書館工作的「人」或與圖書館有同樣性質功能

的「機構團體」，如各類型的資料中心或民間團體，而活動項目往往是藉著資料的記錄、或人員的訓練共同來研討有關圖書館業務發展的各項事宜。

一、調查統計

按民國七十二年九月「縣市文化中心工作要領」第二項第十九條：圖書館應建立各種服務記錄及統計資料，以便業務之推展與查核。這裡所提的服務記錄與統計資料便是推廣工作的重點之一。藉記錄與統計資料可以看出推廣工作的成效、不足和需要改進的地方。

(一) 服務記錄

1. 編製各項推廣統計。凡歷年來所推廣的各項活動皆需記錄、建檔。內容包括：項目名稱、種類、服務的人次、所需的經費、成果考核等。
2. 製作統計圖表。統計圖表格式顯明、生動易記。小則與文字資料同印於工作手冊中，大則可懸掛牆上，隨時修改。
3. 撰寫統計報告。將統計結果述諸文字，並就其優缺點提供推廣業務參考。

(二) 統計資料

1. 讀者需求問卷調查統計。此項統計可為推廣活動發展與設計之參考。
2. 圖書館各項服務評鑑統計。此項統計乃針對已發展之推廣活動進行之。
3. 各地區圖館概況調查統計。此項統計需經常更新，尤其是

主管、地址、電話、業務項目等需定期調查更換。

4.編製省區內各級圖書館標準表冊與比較表，以謀業務之改
　進。

5.其他相關統計。

二、圖書館人員訓練

圖書館人員訓練包含兩方面的意義：

(一)　對館內同仁的訓練

1.專業知識的加強：

　(1)　經常舉辦專業知識的講座，邀請學者專家講述有關圖
　　　書館學的最新發展及未來趨勢。

　(2)　鼓勵館內同仁藉研討會、館務會議或館刊等文字資
　　　料，發表自己的研究心得報告，或對業務的缺失共同
　　　研擬改進之道。

　(3)　鼓勵館內同仁經常參加館外各項相關的學術研討會，
　　　或作長、短期的進修。

2.有關知識的補充與教導：圖書館工作人員除了應具有圖書
　館學的專業知識技能外，對社區的瞭解，與讀者溝通的技
　巧、人際關係、公共關係的訓練培養、帶領活動的能力、
　語言的訓練、口才的表達等相關性的知識亦應隨時加強。

(二)　對館外相關團體同仁的培訓

　(1)　舉辦中、長期圖書館研習班，讓來受過專業訓練或教
　　　育的圖書館工作者能有機會習得圖書館學的技能。此
　　　類研習班需針對不同對象而開設，如：中小學教師、

公共圖書館、大專院校圖書館、專門圖書館或私人所
辦之各種社團資料室等。因對象不同而有不同的課程
安排,讓該員在受訓完後即能處理基本的圖書館業
務。期限以一或兩個月為宜。

(2) 舉辦短期的單項業務研討會,如視聽、分編、採訪或
兒童節目安排等,使各個不同地區的圖書館人員,經
過課程安排、研討、意見交換而習得相關知識技能。
時間以二到三天為宜。

(3) 接受相關單位的申請,安排一至二人至圖書館內各部
門實習以取得實際工作經驗。時間以二至四星期為
宜。

(4) 個別指導。以電話、訪談或書面資料指導。

三、輔　導

(一) 定　義:

按民國五十八年十一月教育部發布「各省市公立圖書館規
程」第十三條規定:省、市立圖書館應輔導縣、市立及私立圖書
館,縣、市立圖書館應輔導鄉、鎮市立圖書館,並建立業務聯繫。
由此規程看來,輔導包含兩方面的意義:一是指上級對下級單
位,大館對小館之間的業務輔導,一是指公立圖書館對私立圖書
館的業務指導。事實上,輔導的範圍還可以再擴大,包括對機關、
學校、社教或公益團體、會所、社區、工廠、教堂、寺廟等圖書
館業務的輔導。

(二) 目　的:

　　輔導的目的在幫助沒有圖書館的地方成立（或增設）圖書館，已有圖書館（或資料室）的地方能按正常圖書館的經營步驟發展他們的業務。

　　㈢　方　法：

　　輔導的方法有很多種，端視各館狀況而做不同重點的輔導。一般最常見的方式如次：

1. 協助其解決採購、分編等技術性服務的困難，或幫助其圖書館人員的訓練，或提供採購書目參考，或代印編目卡片等。
2. 協助其辦理圖書閱覽與讀者服務事宜。
3. 協助各機關、團體成立特種（或專門性）圖書館實驗。
4. 經常召開輔導會議，解決各項困難。
5. 定期視導所輔助之圖書館，使其能持續發展。
6. 給予複本圖書、雜誌、或活動款項的補助。

　　四、館際合作

　　按民國七十二年九月行政院核定的「縣市文化中心工作要領」第二項第十七條規定：「圖書館應與本縣市內各文教機構及其他圖書館密切連繫，並謀圖書館館際間之合作，使民眾能利用該服務地區，甚至全省及全國之圖書資源。」此外，民國六十八年中國圖書館學會大會通過的「大學及獨立學院圖書館標準」第三十六條亦記載：「圖書館間應發展合作服務，如聯合採購、合作編目、編製聯合目錄、館際互借、資料互印等，並負責辦理出版品國內、外交換工作」。

　　館際合作是目前圖書館極力推廣的活動項目之一，無論是大專、公共、或應中小學圖書館皆尋求一個更廣濶的合作空間與更細密的合作交換辦法。館際合作牽涉的範圍很廣，需另立主題討論，本節僅簡此敘述。

五、研究發展

　　按民國七十二年行政院核定之「縣立文化中心工作要領」第二項第二十款：「圖書館得遴聘地方熱心文教事業人士組織委員會，謀求圖書館業務之發展。」因此，各圖書館為本身業務發展之需要得組各種不同類型的委員會，並定期召開研究會議與推廣會議，藉專門知識的交換、研究、討論以共謀圖書館事業之發展。

　　委員會的組織有三種層面：

　(一)　邀請學者專家與館內相關人員共同組織學術研究會，專門舉辦有關學術討論及通訊、出版研究等事宜。

　(二)　與其他教育機關、行政機關及社會機關團體，共同協力舉行研究發展會議，推動工作以改進各館業務。

　(三)　由社區中熱心公益贊助圖書館發展的知名人士組成「圖書館之友社」，定期集會，提供地方意見以供圖書館參考。

附　註

❶　黃淵泉，「論圖書館資料複製與著作權」，<u>中國圖書館學會會報</u>，第 25
　　期（民國 62 年 12 月），頁 13。

❷　黃端儀，「大英圖書館的新面貌」，<u>國立中央圖書館館刊</u>，第 13 卷 2 期
　　（民國 69 年 12 月），頁 74-75。

❸　同註❶

❹　章以鼎，「圖書館展覽的類別」，<u>書傭鴻爪</u>，（台北市：學海出版社，民
　　國 73 年），頁 70。

❺　同❹，頁 76。

第六章　推廣活動項目㈢
——圖書館利用

　　指導讀者利用圖書館是推廣活動項目中很重要的一環；尤其在學校圖書館，更是推廣工作的重點。圖書館利用牽涉範圍很廣，並且包含利用教育的課程設計在內，不同於一般的推廣活動項目，因此另立一章說明。

　　圖書館利用包含兩方面意義❶：

一、指導讀者利用圖書館：當民眾或學生到圖書館時，館員用口頭或文字資料或視聽器材介紹館藏特色、卡片目錄、參考室的利用、閱覽開放時間等，或發給圖書館簡介及圖書館手冊，使讀者藉此能明白如何利用圖書館的各項資源。

二、實施圖書館利用教育：指的是學校或圖書館藉著一套完整有系統的訓練計劃或教育方法，指導學生或民眾認識圖書館及利用圖書館資源。

　　前者的對象較不定，包括團體及個人，時間較短，活動較少。後者是把利用圖書館的方法，編成一套訓練計劃，藉著教育的方法，如透過學校課程的安排，或展開一系列的活動，將其計劃予以實施；適用對象較固定，通常是學生或固定的學習群，時間較長，活動較多，且做有系統的安排。圖書館利用之所以必須推廣的原因在其近程目標——可以使讀者透過認識、利用圖書館而在學習、研究並找尋資料上獲益；遠程目標——可以使其繼續使用

圖書館而達到自我終身教育的理想；此外更可以因讀者學會利用圖書館的方法而減輕許多閱覽及參考館員的工作量，是值得圖書館費心設計推廣的。以下兩節僅就利用指導與利用教育來探討圖書館的利用。

第一節　圖書館的利用指導

　　圖書館的利用指導，在設計上需考慮的流程如下圖，需經過仔細的讀者群分析，然後決定指導方式，根據讀者需要與指導方式決定指導內容，再根據指導內容詳列可能的活動方式，最後考慮可採用的媒體。

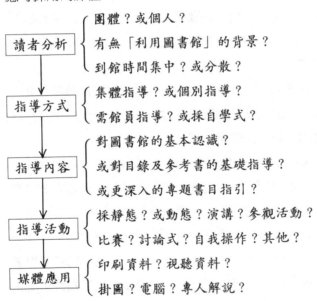

讀者分析 {
團體？或個人？
有無「利用圖書館」的背景？
到館時間集中？或分散？
}

指導方式 {
集體指導？或個別指導？
需館員指導？或採自學式？
}

指導內容 {
對圖書館的基本認識？
或對目錄及參考書的基礎指導？
或更深入的專題書目指引？
}

指導活動 {
採靜態？或動態？演講？參觀活動？
比賽？討論式？自我操作？其他？
}

媒體應用 {
印刷資料？視聽資料？
掛圖？電腦？專人解說？
}

一、讀者分析

㈠　讀者數量：

設計利用指導活動之先，首需判斷讀者的數量。利用本館資料的讀者經常是個別的或是團體群。個別的讀者可以採用個別指導或自學式指導，而團體群如學生、或某機關團體的集體參觀則可採用集體指導，如演講、或放映幻燈、影片等。

㈡　到館時間：

圖書館若對讀者的流通量經過調查統計，即可預知一年中的某些月，一月中的某些天，或一天中的某些時辰，讀者的到館量會增加。如二月，七、八月屬寒暑假；週三、週六下午兒童室的人數會大量湧入；中午與下午的讀者群比上午的人多等。館方若仔細觀察，必能找出讀者較集中或較分散的時機，而施予適當的利用指導。因此，即使個別的讀者零星的出現在較集中的時刻，亦可請其稍為等候，而做團體性的指導。

㈢　有無「利用圖書館」的背景：

並不是所有的讀者都曾利用過圖書館，也並不是所有的讀者都未曾利用過圖書館。這與他們的學習過程、學習環境、教育程度之不同而有相當大的差異。圖書館不當對所有到館的讀者施予相等內容的利用指導。有些讀者只需要瞭解最基本的圖書館常識，如環境、設備、借還書規則；而另有些讀者則需更進一步的查尋有關目錄卡片、書目索引等參考資料。面對這些不同背景的讀者，圖書館可以利用事先設計好的問卷表、或測驗方式、或面談方式找出讀者真正的需要而給予最適當的利用指導。

二、指導方式

指導方式	適合團體	適合個人
1.使用圖書館手冊、簡介	✓	✓
2.視聽資料放映	✓	✓
3.參觀圖書館	✓	✓
4.應用掛圖、流程圖	✓	✓
5.館員講述、問答	✓	✓
6.藉展覽、圖書館週等特別活動	✓	✓
7.演講	✓	
8.分組討論、研習	✓	
9.藉比賽、遊戲等團體活動	✓	
10.作業練習簿		✓
11.個別指導		✓
12.電腦輔助教學		✓

指導方式可分集體指導與個別指導兩種。

(一) 使用圖書館手冊、簡介、指引等印刷資料

無論團體或個別的利用指導，圖書館手冊、簡介等指引性的

資料是最被廣泛應用的。團體性讀者可於團體指導後，給予補充資料；個別讀者可於到館、或辦借書證時發放；如此可以掌握每一位讀者得到最佳利用指導的機會，即使他不能在圖書館停留較長的時間，圖書館手冊仍會帶給他最基本「利用圖書館」的資訊。

（二）　視聽資料放映

團體讀者可集體放映幻燈片、影片、錄影帶等資料，指引其如何利用圖書館。個別讀者亦可採自學方式，如利用錄音帶、錄影帶的自學播放；或定時定點放映（由館方每一小時或每半小時播放一次），個別讀者可於放映時間自行到放映室等待。

（三）　參觀圖書館

參觀圖書館有二種方式，團體性的多半由館員引導參觀，個別性的可採自導參觀法❷。

1. 引導參觀(Guided tour)：由館員引導分組的讀者參觀圖書館的各部門，並給予詳盡的解說。此種參觀活動，館員可以直接感受到讀者的反應，進而修正其內容以適應不同讀者的需要。

2. 自導參觀(Self-Guided tour)：由讀者手持參觀路線圖，自行到館按圖遊走各處；時間可自定，人數可由一人至三五成群皆可。除了文字導引說明外，讀者亦可向館方借錄音帶、隨身聽及耳機，經由錄音介紹逐步參觀。此種方式相當自由，然而需要較高的成本與較多的操作技巧。

（四）　應用掛圖、流程圖

掛圖與放大的流程圖可以很明顯的以文字或符號來說明各部

門的位置、辦事的手續、借閱的規則等，若加上電源開關按鈕，將所需部門之圖形呈現出來則更為理想。符號鮮明的標示與圖示，對殘障讀者尤其重要。

(五) 館員講述、問答

館員用口頭講解是最常見的一種指導方法，節省時間、經費，適合團體指導，也適合個別指導。然口頭講解屬單向傳播，讀者站於被動學習地位，無法兼顧個別差異，若輔以視聽資料，增加趣味性與生動活潑的學習情境，或考慮個別差異而預留發問時間，將更可收到效益❸。

(六) 藉展覽、圖書館週等特別活動

圖書館可配合特殊節日而舉辦「如何利用圖書館」的特別展覽，或利用全國性的圖書館週做一系列的活動設計，藉綜合性媒體的展示，與系列的演講、比賽等活動來指導讀者利用圖書館。(可參考第七章圖書館週活動)

(七) 演 講

講述「圖書館利用法」的演講有兩種。一為在圖書館內講述，藉民眾參與的演講系列活動舉行；另一種是館員到有需要的學校或機關團體講述，俾使其瞭解圖書館的利用法。演講的對象固定，時間固定，若精心設計，可達「圖書館利用教育」的效果。

(八) 分組討論、研習

分組討論研習適合團體指導。由數人組成一小組，學習目錄查尋、書目索引檢索等圖書館利用法。

㈨　藉比賽、遊戲等團體活動

圖書館為配合特殊節日，或特殊活動可以舉辦各種比賽與遊戲，如「圖書館尋寶」等團體活動，可以使讀者更熟悉參考工具書的使用，及熟悉圖書館的各種服務。

㈩　作業練習簿(work books)

作業練習簿是一種用測驗或練習的方式，分段編列圖書館利用指導的內容項目，供學生練習作答❹。練習簿採分段練習，「從做中學」，非常適合學校指導學生時使用。一般公共圖書館在編製練習簿時，若能注意不同背景讀者的需要，亦相當可行。

㈠　個別指導

個別的利用指導多半用在參考工具書的使用，或資料的找尋方面。

1. 實地提供重點指導(point-of-use instruction)。圖書館把說明資料陳列在擬介紹之目的物旁，供讀者隨時學習，說明資料可採印刷說明，亦可配合視聽教具❺。

2. 圖書館資源示意圖。圖書館可選擇特殊標題，將其館藏相關資料全數建立在一個檔案中，隨時更新，讀者藉此可自行學習如何使用圖書館資源❻。

㈡　電腦輔助教學(Computer-assisted instruction)

電腦輔助教學是編序教學的一種，把教學內容以機讀方式存入電腦，學生經由終端機與電腦交談，從事學習活動❼。非常適合個別指導。

三、指導內容與指導活動

一般圖書館利用指導的內容約可包括五大類：

(一)　**有關圖書館環境的認識**

　　1.圖書館的位置，館內各部陳設。

　　2.圖書館設備。

　　3.館員、工作人員、詢問台。

　　4.圖書館各項規則。

　　5.館藏資料及媒體種類。

　　6.各種服務及推廣活動項目。

　　7.社區附近可供查尋之資料單位。

(二)　**有關書的認識**

　　1.圖書基本結構，如書名頁、版權頁。

　　2.書碼、書後袋、索書號等基本術語。

　　3.分類大綱及標題。

　　4.排架法。

(三)　**有關目錄卡片使用**

　　1.目錄卡片的結構及種類。

　　2.中西文字母排檢法。

　　3.電腦線上目錄檢索法。

(四)　**有關參考工具書的認識與使用**

　　1.一般性的參考書、期刊、索引。

　　2.專題書目指引。

　　3.讀書指導。

(五)　**有關社會學習**

　　1.圖書館內公共秩序的遵守。

2.圖書館內公共財物的保護，如書、期刊、各種資料及器
材的使用維護等。

　圖書館提供的各項指導內容需要因讀者的個別差異而有不同
的設計，各項指導活動亦需參考指導方式與指導內容而訂定。館
方可預測各種不同層面的需要而設計許多不同的利用指導方式，
再經過實地勘察、運用、讀者反應與修正後，重新設計出更適合
需要的利用指導內容。

　　四、媒體應用

　利用指導除了館員的解說，綜合性的報導，引導參觀與實物
操作練習外，可應用的媒體有：

㈠　印刷資料：最常用的有關圖書館簡介、手冊、參考工具
書單張簡介、目錄卡片使用說明書、各類活動一覽表、
新書目錄、特殊活動之海報、指標等。印刷資料是最普
遍被用在利用指導的媒體，它成本低廉，可大量印製，
流通很廣又可隨身攜帶，讀者可長期保存作隨時翻閱參
考之用。對沒有較長時間停留在圖書館內的讀者，是一
較好的利用指導媒體。

㈡　掛圖、各種圖示、立體模型：如分類法大綱、標題表、
借閱規則說明、館藏樓層圖示與模型等。鮮明的圖示與
標識給人生動活潑且印象深刻的概念說明，可以藉此導
引進入更細更深的領域。

㈢　視聽資料：比起靜態的視覺圖示，視聽資料顯得更多彩
多姿。無論是錄音帶、錄影帶、影片、幻燈片、影碟或
光碟等帶給人聲、光、色的震撼比諸其他媒體更甚。然

而視聽資料亦有它的極限，正如一九七三年 Kuo 氏在 Portland State University 圖書館所做的一項有關「使用視聽資料來教導圖書館利用指導」的報告中，發現並不是所有的視覺資料都能增進學生學習的成就❽。口頭講解方式與使用視聽器材來指導學生利用圖書館，在學習成果上，並無明顯的差異，可見得視聽資料並不是比口頭講解更好的一種方式。視聽資料製作成本高且不易購得，需好的設備及人才，才能達到效果。使用時需輔以口頭說明或其他資料，以補細節描述之不足。

(四) 電腦：應用電腦於圖書館利用指導的，目前有電腦輔助教學(CAI)，但仍不普遍。因圖書館缺乏有能力撰寫電腦程式的館員，購買亦不易。另外電腦無法展現實體，只能展現條目，且無法與使用者充份對談以解決問題❾。電腦應用於利用指導仍有待更進一步的發展。圖書館在舉辦利用指導活動時，需綜合運用各部媒體以擷長補短，達到最有效的使用。

第二節　圖書館的利用教育

不同於利用指導的圖書館利用教育，指的是藉著一套有計劃有系統的課程設計，訓練讀者如何利用圖書館。利用教育也是利用指導的方式之一，大部份施行於小學、中學及大專院校圖書館，對其本校學生做利用指導訓練。公共圖書館亦可發展利用教育，然而對象需經過濾，使真正有興趣學習利用圖書館的讀者留下，

才能在有限之人力、財力、時間上做合適的調配。

　　雖然利用教育並非圖書館利用指導的唯一方法，却是非常有系統、有效率的利用指導方法。只是利用教育需要學校行政單位、教學單位及圖書館等三方面的配合❿，在推展上，困難較多，急待突破。

一、大專院校圖書館的利用教育

㈠　實施時間：

1.大一新生訓練時，由圖書館館長或主任作專題演講介紹，或放映幻燈片、影片，及帶領學生參觀圖書館等。

2.利用導師時間，或課餘時間。

3.列入正式課程，分二、三、四年級選修。

4.利用圖書館週時間，藉展覽或特別活動實施機會教育。

5.實施「圖書館時間」，雖無學分，但必需計算成績。

㈡　教育方式：

1.正式課程：由教師根據教學方式，編製系統的利用指導內容。

2.非正式課程：可運用利用指導的種種方式進行之。

3.圖書館可與各系所聯繫，帶領學生參觀附近的學術圖書館或公共圖書館。

㈢　教育內容

1.開設「圖書館概論」、「圖書館利用法」等基本課程。

2.開設「研究方法與論文寫作指導」課程。

3.開設「參考文獻」課程。低年級可開「一般參考資料文獻」，高年級的可開「人文、社會、科技」等專科性文獻。

4.與各系所合作編印「課程參考文獻」。

5.提供專題研究資料（如參考書目、索引等）。

6.改變大學教學的方法，揚棄填鴨式教育，而代以

　(1)　撰寫報告代替考試問答，或期中、期末考。

　(2)　以寫學士論文代替畢業考。

　(3)　報告或論文嚴格規定必需引用參考學術期刊的論文或學術會議的記錄，不能只節錄一本書的要點⓫。

二、中學圖書館的利用教育

(一)　實施時間：

1.將「圖書館時間」納入正課安排。

2.利用課外活動或自習的時間。

3.利用「閱讀指導」的時間。

4.利用圖書館週或其他時間，舉辦有關圖書館利用的特別活動。

(二)　教育方式

1.正課期間，可運用演講、口頭講述、討論法、參觀法、實習法、視聽資料放映、展覽等活動來施行利用教育。

2.寒暑假或節慶假日，可以帶班參觀公共圖書館或觀摩其他學校圖書館。

(三)　教育內容：

1.啟發閱讀興趣。

2.讀書計劃及進深閱讀方法。

3.需配合各科教學內容。

4.分區舉辦「教學演示」，介紹各種不同之圖書館利用教

學。

5.編製「國民中學圖書館利用教育教學活動設計」供各圖書
館參考。

6.編印「中學圖書館適用參考書目」。

7.提供「課外輔導書目」。

8.讀書報告寫作法。

三、小學圖書館的利用教育

㈠　實施時間：

1.設立「圖書館教學時間」納入課程安排。

2.利用課外活動時間。

3.利用早自習或放學後時間。

4.舉辦特別活動，推廣圖書館利用。

5.將學校各項學習活動與圖書館利用相結合。

6.於週會或每週擇一個固定時間講述。

㈡　教育方式：

指導兒童利用圖書館宜採較活潑的方式進行，如參觀、實習、
練習、視聽放映、比賽、猜謎、角色扮演、分組專題討論等。指
導時間不宜太長。

㈢　教育內容：

1.低年級學生需指導其：

　⑴　認識學校圖書館的環境。

　⑵　認識圖書館閱覽規則。

　⑶　如何成為圖書館的讀者。

　⑷　使用圖書的態度。

(5) 成為公共圖書館的讀者。

(6) 簡易字典使用法。

2. 高年級的學生需指導其：

(1) 對書本的認識。

(2) 圖書館基本分類與排列法。

(3) 目錄卡片的了解與使用。

(4) 字典、辭典、兒童百科全書的使用。

(5) 字順與簡易常用檢字法。

3. 對學校沒有圖書館的學生需指導其：

(1) 成為公共圖書館的讀者。

(2) 認識班級文庫。

4. 為培養兒童閱讀興趣，圖書館需設計一套刺激閱讀的方法，使其能多利用圖書館的資源。

5. 圖書館可配合課程、中心德目、觀摩教學或節日等編列單元書目，引導兒童利用圖書。

6. 編製「國民小學圖書館利用教學活動設計」，提供館員利用指導之參考。

7. 編印「教學參考書目」、「期刊目錄」、「閱讀指導書目」等供教師參考運用。

8. 成立研習班，使有興趣的同學能有更多的實習的機會。

四、公共圖書館的利用教育

公共圖書館的利用教育之實施與學校圖書館有較大的差異。公共圖書館沒有固定的學習群體，讀者的年齡層、知識背景皆不同，到館時間亦不定。因此，公共圖書館在設計利用教育訓練計

劃時，需更多的顧慮到讀者的需要是什麼？除了經常性的利用指導外，可以開設定期的圖書館利用研習班，招收有興趣的學員學習之，並且按其不同興趣與不同之需求而施予不同的教育內容，使沒有機會受過學校圖書館利用教育的讀者亦可得享利用教育的好處，完成自我終身教育的目標。

附　註

❶　張錦郎，「談大學及公共圖書館利用教育」，<u>台北市立圖書館館訊</u>，第 2 卷 2 期（民國 73 年 12 月），頁 2-6。

❷　吳瑠璃，「大學圖書館利用指導的實施方式」，<u>中央圖書館館刊</u>，新 18 卷 1 期（民國 74 年 6 月），頁 72。

❸　吳明德，「淺談大學圖書館的利用指導」，<u>中國圖書館學會會報</u>，第 36 期（民國 73 年 12 月），頁 121-122。

❹　同❷，頁 74。

❺　同❷。

❻　顧敏，「圖書館資源示意圖」，<u>台北市立圖書館館訊</u>，第 2 卷 1 期（民國 73 年 9 月），頁 2-6。

❼　同❷。

❽　同❸。

❾　同❽，頁 122。

❿　同❷，頁 76。

⓫　同❶。

第七章 公共關係與圖書館推廣業務

第一節　公共關係的意義與原則

一、公共關係的意義

公共關係是英文 Public Relations 的直譯，望文生義，公共關係便是和公眾發生關係的意思。根據韋氏國際字典(Webster's New International Dictionary)第三版對公共關係所下的定義為❶：

(一) 促進個人、企業、機構與其他人、特定的群眾、或社區民眾之友好關係，採用之辦法為：分發宣傳品，增進彼此了解，重視群眾反應等。

(二) 個人或團體獲得群眾的了解之友好關係之狀況及程度和為了建立良好關係所運用之技巧。

(三) 發展相互了解及友好的一種藝術或科學。

(四) 從事此項工作之專業人員。

以上之定義包含了對公共關係的解釋、狀況分析、運用的方式和技巧及工作人員陳述等，是相當週詳的定義。

公共關係的重要性已日漸被政府機關與民間機構所發覺和重視。許多機關開始成立公關部及延攬公關人才，概因公共關係影響業務的推展相當大，在圖書館事業的推廣上亦然。

　　當代圖書館事業經營理念的變遷，已由最早擁有完整豐富資料為傲的「資源中心說」，到以方便讀者，全然開架閱覽的「讀者中心說」，轉變為現今注重館員任務的「館員中心說」，館員居於讀者與資源之間，使讀者、資源、館員能不偏不倚同時兼顧發展❷。這其中，公共關係便成為館員在圖書館專業知識外，需學習的新知識、新技能。美國資訊科學學會（ASIS）會長維果（J.A.Virgo）曾以市場的觀點來闡述圖書館推廣服務的內涵❸，她認為圖書館不應只是一味地推銷自己所擁有的，更重要的應該去研究、了解讀者的需求所在，針對這些需求所做的推銷，始具意義。

　　因此，圖書館若要發展良好的公共關係，首需健全圖書館的業務，以民意為依歸，力求服務品質之改進更新，使圖書館業務有健全之發展，才能廣為宣傳，不落入虛偽，而為民眾所樂意接受。

二、公共關係的原則

要發展良好的公共關係需注意幾個原則：

(一)　內部做起：要做好公共關係的先決條件，需先求本身的健全，才能談到產品的推銷。圖書館若毫無業績可言，內部糾紛四起，即使印了許多宣傳冊子，說得天花亂墜，也決不會得到民眾的認同。

(二)　雙向交流：公共關係講求的是雙方站在平等地位，下情上達，上情下達，如此的雙方溝通才能建立。若不了解民眾之所需，只一味的推銷自己的產品，終必被淘汰。

(三)　誠實公開：公共關係建立在互信的基礎上，不能用欺瞞的手法，一手遮天，誤導民眾，或對民眾的需求與反應

採拖延戰術，如此圖書館工作必定推展不開。

㈣　廣結善緣：公共關係必須不分軒輊，普遍建立，若有所選擇，不僅不能產生共鳴，且真有急需時，反得不到幫助。

㈤　平時連繫：公共關係的建立要靠平時，不能臨時起意，或到需要時才開始找人。

㈥　不斷創新：以更新的內容引起興趣，滿足「新聞」的需要，陳年舊事，民眾將視而不見，聽而不聞。

第二節　圖書館公共關係的對象與媒介

一、圖書館公共關係的對象

圖書館需發展的公共關係對象有：

㈠　內部員工：圖書館推廣首需重視館員之間的和諧，不僅推廣部門的員工需先取得共識，也要爭取其他部門員工的看重與支持，如此在推廣業務或人手調配上，才能左右逢源。此外，亦需訓練館員與讀者之間建立良好的公共關係的共識，否則一切努力的成果很可能毀於館員與讀者之間的一場誤會與衝突。

㈡　上級單位：圖書館因層級不同，所屬之上級單位，如鄉鎮市、縣市、省、院轄市或中央不等。然而圖書館無論屬何層級，皆需與其上級單位建立良好的公共關係，才能得到人力與財力的支援。

㈢　民意代表：民意代表為人民所選，預算、立法皆在他們

手上，若能使各級民意代表了解圖書館與真正需要，對圖書館的發展必大有助益。

（四）　政府機關：如財政、主計、人事等。

（五）　地方上的意見領袖：如大學教授、報紙主編、專欄作家、學者專家、地方政要、元老耆宿等高級知識份子，他們的立場較超然，對地方有貢獻，影響力亦較大。

（六）　地方上的熱心人士：如退休公務員、老人、學生、家庭主婦、教師等皆可為圖書館義工來源。

（七）　社團、黨團：凡公益性、服務性、宗教性、親屬性、學術性、聯誼性、或地區性等團體，或各種社團、黨團等組織，皆可配合圖書館活動，而給予人力、物力等資助。

（八）　大眾傳播界：舉凡報紙、廣播、電視、新聞等媒體，圖書館皆需與其密切聯繫，在活動宣傳上才能得到效益。

（九）　出版界、書商及工商界：圖書館經常需要新的資訊來蒐集適當資料以充實館藏，良好的公共關係可以掌握最新資訊脈動，或得到採購上的實惠。

（十）　圖書館界、資料中心或社教機構、學校等：圖書館若與平行單位或同性質之社教機構保持良好的公共關係，在辦理館際合作事上較能得到充份的支援。

（土）　國際人士：圖書館亦可與外國的文教單位聯繫，爭取經費或圖籍資料的支援。

（吉）　其他社會大眾。

二、圖書館公共關係的媒介

圖書館發展公共關係所能應用的傳播工具有：

㈠　文字媒介：

1. 機構的出版品：包括機構所出版的各類書籍及定期雜誌，如館刊、館訊等。

2. 各種手冊、指南、簡介及單張說明書。

3. 信件、通訊和紀錄。

4. 布告欄、海報及廣告看板。

5. 資料架：可放置各種印刷資料、小冊子、雜誌抽印文章，任人自由取用。

6. 公共關係廣告。

7. 問卷表。

8. 意見箱之設置。

㈡　語言媒介：

1. 各種會議。

2. 各型的座談會、聽證會。

3. 演講型式。

4. 口頭意見反映。

5. 電話傳遞。

6. 宣傳單之運用。

㈢　視聽媒介：

1. 電影效映。

2. 閉路電視。

3. 幻燈介紹。

4. 其他視聽媒體。

  ㈣ 大眾傳播工具：

   1.報紙。

   2.廣播。

   3.電視。

   4.新聞。

  ㈤ 實體物：

   1.個人接觸。

   2.紀念章、貼紙。

   3.宣傳物品。

   4.陳列展覽。

   5.慶典特別節目設計。

第三節 圖書館公共關係運用的方式

一、公共關係之建立

  公共關係之建立始於人才之延攬，並因需求調查而逐步建立起各方面的聯繫。

  ㈠ 公共關係人員：圖書館欲發展長期的公共關係，需設專人負責。圖書館所需的公關人員對圖書館作業要有徹底的了解，同時需具備公關的知識與技巧，面對群眾有信心，隨時可以採取最恰當的處理方式。

  ㈡ 資料蒐集：公共關係人員需隨時注意蒐集有關公關對象的各類資料，包括：

　　1.非正式的：(1)電話、信件、訪視。

　　　　　　　(2)分析收回之信函。

　　　　　　　(3)傳播媒介之報告。

　　2.正式的：(1)組織顧問委員會或小組。

　　　　　　　(2)採用各種選樣調查。

　　　　　　　(3)組成調查小組，深入訪問。

　　　　　　　(4)通訊調查。

㈢　活動參與：

　1.熱心參與社區活動。

　2.經常注意與圖書館業務有關之機構、團體的消息。

　3.協助慈善機構之活動。如提供圖書資料給養老院、育幼院、社會服務工作隊等。

㈣　提供圖書館資源：

　1.開放圖書館場所供應社會團體舉辦各種活動之用。

　2.提供實習機會給圖書館系學生，促進與學校、教師、學生之間的關係。

　3.提供本館的器材設備資源給他館使用。

　4.提供相關之資料供給「作專題展覽的機構」配合展出。

　5.調派專業人員協助輔導，以解決各館所需要。

㈤　聯繫：

　1.組織熱心參與民眾成立「圖書館之友社」。

　2.聘請各界鄉紳、學者專家、地方代表與顧問，協助解決圖書館所遭遇之難題，或對圖書館之發展提供前瞻性的建議。

3.讓民眾參與圖書館委員會，監督圖書館行政並進行意見
調查。

4.與輿論界的領袖與傳播界的發言人，建立良好關係，並
時常聯繫。

5.與義務服務人員保持良好密切關係，並定期舉行圖書館
義工講習會。

二、宣　傳

(一)　為何要宣傳

傳統圖書館給人的觀念是靜態的，閉塞的，學術性的。民眾
既缺乏對圖書館服務功能的認識，相對的也導致圖書館館藏乏人
問津。「宣傳」的目的是為了使圖書館能與民眾的生活發生密切的
關係，告知讀者圖書館正在做什麼？能為他們提供什麼服務？非
同於一般商品廣告，目的祇在促銷「產品」而已。

在廣告理論上強調：祇要有宣傳，就一定有效果，廣告一停
止，產品的生命也將隨而終止，雖然圖書館不是貨品，但若從行
銷學的理論看來，圖書館所從事之任何公共關係，不論是以何種
形式出現，或利用何種媒體進行，凡為縮短民眾與圖書館的距離，
改變大眾對圖書館觀念的種種行為皆可視為「宣傳」。

(二)　重點宣傳

1.報紙、新聞界

透過新聞界做圖書館自我宣傳是一項很有效的辦法，其方
式如下：

(1)　聯絡記者：館員平時最好能與報導該區消息的記者

保持聯絡，建立交情，並隨時提供活動消息。

(2) 召開記者會：就圖書館所舉辦之特別活動或設定之某主題召開記者會，使其能了解圖書館整體發展。

(3) 發新聞稿：新聞稿又稱宣傳稿(publicity release)，是公關人員用來傳遞資訊、新聞及特寫材料的一種特殊工具。新聞稿要具特性與吸引力，不能中規中矩的，若太呆板了，當天新聞多，常會被擠掉。

(4) 利用報紙刊載活動消息，或登宣傳廣告。

(5) 與報紙主編連繫，開設專欄報導有關圖書館的動態，或各種新書推薦、討論會等活動。

(6) 設立全國性圖書館報紙。

2. 電視、廣播界

電視與廣播節目屬大眾傳播中影響力較廣的工具，它們各有不同的特性。

(1) 電視：視聽效果較佳，具聲、光、畫面等表現，但時間短暫，價格昂費，不適合長時間播出。可以考慮的方式：

a. 新聞性報導。

b. 製作「認識圖書館」卡通廣告。

c. 製作「圖書館與您」專題報導。

d. 爭取新聞評論性節目的報導機會。

(2) 廣播：只有聲言，沒有畫面，但播出時間可以較長，價格亦不若電視昂貴，可以考慮的方式：

  a.圖書館人物專訪。

  b.圖書館活動系列報導。

  c.書香時間，專門介紹新書、好書、暢銷書目。

  d.書評或書摘時間。

  e.介紹參考書。

  f.參考諮詢服務。由電台與圖書館合作，應用圖書館資料為聽眾朋友解答各種疑難問題。

  g.為兒童說故事，或廣播劇。

  h.新聞報導。

3.圖書館本身的宣傳

 (1)應用定期展覽、招貼、活動看板、海報、櫥窗等方式。

 (2)於圖書周圍設立之明顯標誌。

 (3)發行紀念章、紀念貼紙、紀念信封、信紙、郵票。

 (4)圖書館格言之擬定。

 (5)利用宣傳車或巡迴車至各地廣播宣傳。

三、出版品

  出版品也是宣傳工具的一種，然而其效用更甚於宣傳。一般大眾傳播對圖書館業務只能做重點或新聞性的報導，無法詳細且不夠完整。若要內部員工與外界瞭解圖書館整體的工作內容，則有賴機關自己的出版品。

  機關出版品除了專題書目外，純屬報導機關動態的有兩種類型：

 ㈠ 對內的：機關規模大，分支多，出版為員工閱讀的刊物，一方面傳達機關的訊息，一方面連繫員工間的感情，會

使員工關係更好，對機關更有向心力。

(二)　對外的：

1.以詳盡介紹業務概況為主，圖文並茂，每隔一年或兩年修正一次，如圖書館簡介或概況等。

2.定期刊物型式，無論是月刊、雙月刊、季刊、半年刊，皆以雜誌方式公開發行，宣傳意義較不明顯，但可以長期的報導機關動態與新業務的擴展，影響力很大。

3.其他小冊子、或摺頁。以圖片為主，或以文字為主，成本較輕，可大量印刷，分送前來參觀者。摺頁或小冊子報導的內容較簡單，有時純屬概念介紹或單項業務進行狀況與流程說明。

圖書館經常出版的印刷品種類：

(一)　圖書館簡介：簡介的內容包含一館的歷史沿革、組織、職掌、業務概況、各項服務、閱覽開放時間及未來的發展等。簡明扼要，圖文並茂，或以書本型式出刊，或以小冊子型式出刊，皆需大量印行，定期修改，以符合實際之狀況。印刷品簡介與幻燈片簡介可並行設計以求相輔相成之效。

(二)　讀者手冊：讀者手冊主要刊列館內各項借閱規則、手續、館藏介紹、圖書館利用法（包括目錄卡片之使用，分類法大綱及簡易參考書使用），詳列各項服務辦法及建築平面示意圖等；讀者藉此可自行參觀圖書館，並學習如何利用各類館藏資料。讀者手冊與簡介最大的不同點在於讀者手冊以文字說明為主，圖片為輔；讀者手冊

著重細目詳解，而簡介只是概念介紹；讀者手冊是針對已來到館內使用資料的讀者做實務性的指導，而簡介宣傳的意義大過實務性，乃是針對那些不瞭解本館業務或尚未踏入圖書館的群體而設計的。

(三) 館刊、館訊：館刊與館訊皆屬定期出版雜誌，或以月刊、雙月刊、季刊、半年刊、年刊等不同方式發行。定期性的出版品可以有計劃、有系統的報導一館的業務狀況、實際問題、館藏介紹、學術研究、本館新的發展或未來動態等，是相當有價值且可以展現實力的宣傳品。圖書館若沒有充實的館藏，健全的業務發展，其定期性的出版品必顯得空洞不具可讀性。館刊的內容包括：

1. 圖書館學專題論述。

2. 圖書館相關科目專題論述。

3. 館藏系列介紹。

4. 業務概況與報導。

5. 相關業務之延伸報導。

6. 機關動態。

7. 人物專訪。

8. 與本館業務有關之他館動態。

此外，圖畫、攝影、卡通、漫談等皆可穿插其中。而館訊與館刊最大的不同點在館訊偏重一館之業務及動態報導，學術性不強。館刊可以年刊或半年刊型式出版，而館訊的出刊期較密，間隔時間不宜過長，否則就失去訊息傳遞的意義了。圖書館可依本身的業務狀況而決定出

館刊或館訊，或兩者同時刊行。

(四)　各種專題書目：如新書目錄、參考書目、視聽資料目錄等，使讀者藉此對館藏有所了解。

(五)　出版各類型單張、或小冊子：以單張或小冊子方式分別介紹各項單獨業務的進行，或單本參考書的使用，或圖書館參觀路綫指引，或圖書利用指導等。分門別類，可放於資料架上，或相關業務部門，讓讀者自行取閱。

(六)　其他圖書館之出版品：如書或圖錄等皆可做為交換、贈送之用，既具學術研究價值，又廣為流傳。

第四節　圖書館週

圖書館週是推廣活動項目之一，但它宣傳的目的大過於服務的目的，是短暫的而非長久性的服務，在圖書館的各項公共關係中，藉著宣傳活動以喚起民眾的注意，使其能走進圖書館。而各樣的宣傳活動中，最大的即屬全國性的圖書館週活動。

一、圖書館週的源起

(一)　最早有圖書館週的國家為日本❹。大正十二年（一九二三年），由日本圖書館協會定十一月一日至七日為第一屆圖書館週，目的在鼓勵民眾學習新知識，以對抗歐美列強。因此第一屆圖書館的口號為「閱讀使人堅強」，昭和十四年以後，圖書館週為「讀書普及運動」所取代。

(二)　韓國在一九四六年亦開始有圖書館週的活動，對該國圖書館的發展甚有幫助。

㈢ 美國在一九五八年，由美國圖書館協會（A.L.A）和全國
圖書委員會（National Book Committee Inc.）共同發
起全國圖書館週（National Library Week,簡稱
NLW）。第一屆日期為三月十六日至二十二日，並以「展
開奇妙新世界，醒來，讀書吧！」（Open Wonderful
New World, Wake up and Read！）為口號，進行各
項活動。

㈣ 英國於一九六六年，由英國圖書館協會（British
Library Association）、出版業協會、書商協會及國家
圖書聯盟等單位共同發起。第一屆圖書館週口號為「找
時間閱讀」（Make time to Read）。

㈤ 我國圖書館週是民國五十九年（一九七〇）由中國圖書
館學會與國立中央圖書館所聯合發起的，以「介紹圖書
館之設施，利用圖書館之資源，培養大眾讀書風氣，倡
導正當休閒生活」為目標，並定每年十二月一日至七日
為圖書館週。第一屆的口號為「讀書最樂」。

綜上所述，圖書館週實施至今近七十年歷史，其主要目的，
一方面在改善社會風氣，另一方面也藉機宣揚歷年來我國圖書館
事業之發展與成就，使民眾更認識圖書館。

二、圖書館週的活動

每年圖書館週必備的活動項目有：

㈠ 口號擬定：口號需簡而易記，唸起來順口，字數不能太
多。

㈡ 海報印製：海報由中國圖書館學會統一印發，送達全省

各圖書館，然而數量有限，不夠普及，或可由各地圖書
館自行印製，以廣宣傳。

(三) 各項活動設計：

圖書館週經常辦的活動項目有：

1. 文宣活動

　(1)　製作壁報、海報、標語、漫畫等，張貼各地。

　(2)　印製書箋、圖案發送讀者。

　(3)　編印圖書館週紀念專刊。

2. 參考書使用

　(1)　參考工具書展。

　(2)　中西文參考工具書查檢大競賽。

　(3)　舉辦工具書使用講習。

　(4)　舉辦「圖書館尋寶」遊戲活動。

　(5)　有獎徵答。

3. 各類比賽活動

　(1)　圖書館活動海報展與海報製作競賽。

　(2)　發動「一人一書」捐書運動。

　(3)　「舉辦好書排行榜」，接受各地好書推薦。

　(4)　徵文比賽──「圖書館與我」。

　(5)　辯論──就圖書館各類服務，如：公共圖書館應否
　　　　全部採開架式？大學圖書館應否對社區開放？圖書
　　　　館應否廢除自習室？等等項目展開辯論活動。

　(6)　各類兒童演講比賽，說故事比賽。

4. 視聽放映

(1)放映「圖書館利用」教育影片。

(2)其他有關圖書館系列之視聽資料。

5.展覽

(1) 舉辦各類館藏圖書展覽。

(2) 舉辦與「圖書館週」有關之展覽。

(3) 圖書館的相關圖片、用具展示。

(4) 各類圖書展覽，包括好書展、新書展等。

6.圖書館利用活動

(1) 各類圖書館利用教育活動。

(2) 舉辦如何利用圖書館講座。

(3) 安排館員赴各地宣傳演講。

(4) 安排個別與團體讀者系列參觀圖書館的活動。

(5) 設置各校集體參觀圖書館的時間。

7.各種會議之進行

(1) 舉辦讀者座談會。

(2) 與圖書館業務相關之各種會議。

(3) 組織「圖書館之友」會。

(4) 業務觀摩。

(5) 表揚圖書館義工、熱心參與人士、贊助單位、圖書
　　 借閱量最高的讀者等。

　　總之，圖書館週的活動可因各館而有不同型態的設計，不必
拘泥於傳統型式，只要能達到圖書館週的目的即可。

三、圖書館週的宣傳

我國圖書館週自民國五十九年開辦至今已屆滿二十年，然而

所推行的各項宣傳活動，仍只偏重於「單向」且「消極」的靜態活動，如貼海報、布告、壁報製作等，除了圖書館界與極少數注意圖書館動態的民眾外，鮮有人知道圖書館週是什麼？

我國圖書館週與資訊月同在十二月份推廣，圖書館週默默無聞，而資訊月因得到政府的大力支持，傳播媒體的刻意廣告，工商企業界的財力支援，目前幾乎已經廣為周知，然而在內容上仍有諸多偏頗。民眾所認識的「資訊」似乎只停留在硬體設備上，而對於「資訊」本身的了解相當不夠。「資訊」本身才是「資訊月」的主題，而資訊與現代圖書館的功能習習相關；若捨棄「圖書館週」而光談「資訊月」，對民眾幾乎是誤導的。期盼圖書館週能更廣為民眾所知，發揮它「資訊主導」的功效。

附　註

❶　楊國賜，「從社會學觀點談圖書館公共關係」，<u>台北市立圖書館館訊</u>，第 4 卷 2 期（民國 75 年 12 月），頁 8。

❷　廖又生，「讀者就是顧客：論行銷觀念在圖書館經營上之應用」，<u>台北市立圖書館館訊</u>，第 4 卷 2 期（民國 75 年 12 月），頁 51。

❸　李文能，「圖書館經營之策略──從公共關係的理念談圖書館之經營」，<u>台北市立圖書館館訊</u>，第 4 卷 2 期（民國 75 年 12 月），頁 21。

❹　劉嘉俊，「古今中外圖書館週」，<u>耕書集</u>，第 50 期（民國 69 年 12 月），5 版；及王錫璋，<u>圖書與圖書館論述集</u>，（台北市：文史哲出版社，民國 69 年），頁 119─123。

第八章 推廣業務的困境與未來展望

第一節　圖書館推廣業務的困境

近十幾年來，台灣各地圖書館皆致力於館藏業務的擴展，然而在推廣工作的同時也面臨了許多的壓力和無法突破的困難。

一、立法上：圖書館法之訂定是近年來圖書館界所積極爭取的，立法之通過與否影響到人事、財務及行政問題甚鉅。圖書館要發展、要推廣各類型的活動，人力與財力缺一不可，立法才是解決問題的根本之道。

二、行政上：圖書館目前的組織型態很亂，無論是學校或公共圖書館常面臨上級單位多重管轄，多重輔導的困難。到底誰是直轄單位，可以給予行政、人力、財務等多重支援並業務上的輔助呢？有時人力、財務與業務輔導分開，造成推廣工作上很大的困擾。

三、人事上：圖書館推廣面臨的人力問題包含兩方面：

1.圖書館專業人員方面

(1) 因圖書館技術服務的瓶頸尚未突破，許多專業人員都集中在採編組做技術性的工作；而真正面對讀者的第一線工作（如讀者服務方面），反而常常缺乏專業人員。

    (2)   圖書館科系開設「推廣服務」暨相關科目的課程很少，學生畢業後必需經過一段時間的觀察，揣摸，才能理出頭緒來。

    (3)   圖書館員待遇比較其他行業，薪津微薄而業務繁雜瑣碎，許多專業人員寧願轉業，從事別種工作。

2.推廣相關專業人員方面

推廣工作需要許多相關性的專業人員，如統計、宣傳、公關、文宣、編輯、採訪、美工、視聽製作等。圖書館礙於法令限制，不易進用這些專才。

四、經費上：經費的缺乏亦是推廣工作無法順利推展的原因，許多圖書館連基本的購書費都成問題，更不用談為讀者服務而設計的推廣活動了。

五、圖書館服務觀念上：圖書館服務觀念礙於傳統、法令、人事，或不知更新變化，亦有阻圖書館事業之推廣。在商業界，現已有二十四小時的便利超商出現，為的是提供消費者全天候的服務。反觀圖書館界，卻連最基本的開放時間，辦理證件、借閱冊數上都限制重重，將已上門的讀者阻擋於圖書館大門之外，還如何談圖書館推廣？

六、技術上：因科技發明的限制，在某些技術上未能突破，亦影響圖書館事業之推廣，如電腦的連線，館際合作與資源共享等。

第二節　圖書館推廣業務未來的展望

一、突破困境

㈠　立法的通過

圖書館界需更積極努力的尋求圖書館立法的通過，如此在設備、建築、人員與經費上皆有一定標準可遵守，各級圖書館也才能健全的發展。

㈡　行政的支持

圖書館界當如何取得行政組織的協調，避免雙頭馬車式的輔導，將圖書館的層級劃分清楚，指導單位亦各有所層，如此才能分層負責，共同推動全國圖書館事業往前邁進。

㈢　人才的培養

中興以人才為本，教育更是百年大計。圖書館推廣人才亦需刻意培養，經過多年磨練、經歷始能有成。針對目前圖書館推廣人才的缺乏，可行的方式有：

1.建議有圖書館科系的學校加開有關圖書館推廣或讀者利用指導方面的課程，使學生在學期間即能有機會學習推廣業務，不必等到進入圖書館工作了才開始摸索。

2.需加速圖書館自動化的脚步，使合作編目與館際資源互通有無不再祇是理論或紙上談兵。技術服務幾乎用掉圖書館專業人員大部份的時間和精力，那裏還有時間從事讀者服務與推廣呢？

3. 圖書館需刻意培養推廣人才，運用輪調制使資深館員能逐步熟悉圖書館各部門業務，進而調任推廣部從事第一線工作。

4. 進用推廣相關專業人員，如有美工、編輯、宣傳、公關、統計、視聽製作等背景的人員，使能專才專用。

5. 採在職訓練方式。將推廣工作人員按其性向、興趣送往相關單位在職進修，或以短期研習訓練方式，使其能勝任推廣業務。

㈣　經費的爭取

將推廣活動的需要，活動的項目，服務的對象及推廣的成果與各項紀錄，以文字或圖片或幻燈的方式呈現，向上級單位簡報或說明，務使其了解推廣業務之重要而得到上級單位支持。

㈤　健全的業務

圖書館業務要推廣，首需健全本身的業務，以服務讀者為目標，取得民眾的認同。安內才能攘外，首善其身才能談兼善天下，若業務本身即不健全，也不以服務讀者為目的，就談不上推廣了！

二、技術的更新

㈠　視聽媒體在推廣業務上的應用

近年來視聽媒體的科技發明進入嶄新的階段，無論器材或媒體本身，都有新的產品出現。視聽媒體被應用在圖書館推廣上也日漸增多。視聽教育能激發學習興趣，提供個別或集體的學習機會。雖然視聽媒體不能取代傳統的印刷資料，但卻可以擴大讀者的閱讀經驗，和方便那些無法從傳統印刷資料中得到閱讀滿足的

讀者群。無疑地，視聽媒體應用將是圖書館推廣工作的新領域；所提供的服務包括：

1. 資料放映場地：各種視聽教育現場與設備提供民眾免費使用。

2. 借還手續方面：視聽資料將不再被當做特殊館藏而封鎖於櫥櫃中，它只是不同於書本型式的媒體而已，提供借閱且不當做財產處理。

3. 資料本身：

　(1)　將書本型式的內容作全新的展示、放映，提供讀者不同的感官經驗。如：兒童文學的再編譯，小說、戲劇的改編等。

　(2)　放映的對象更寬廣。除了館內亦可延伸至館外，如醫院的病患可以臥床觀賞，孤兒院、養老院的老人、孩子們可以免費享受。

　(3)　多媒體的活動型式。視聽資料本身可以呈現多媒體的組合，如幻燈片、影片、錄影帶、玩具、拼圖、遊戲等，可以組成不同型式的綜合性活動。

　(4)　推廣活動上的應用，如巡迴車、利用指導、展覽等活動。

㈡　電腦、電訊、電傳系統的大量引用

　「圖書館自動化」是近年來圖書館界極力推動的一項工作，小型電腦、線上檢索、資料庫的引用也日漸增多。圖書館自動化對推廣工作必會產生革命性的影響，無論是合作採訪、合作編目、

館際互借，或其他資源的交換使用皆會因自動化及網路連線而更便捷，館際合作也將因自動化而走上一條更新的道路，屆時圖書館推廣必邁向一個新的紀元。

三、結　語

　　政府自民國六十六年推動文化建設以來，對圖書館的興建即不遺餘力，先後在全省各地成立文化中心，更積極籌建鄉鎮市立圖書館。十餘年來，政績斐然，只見各館巍巍矗立，活動頻頻開展，為圖書館業務推廣點燃啟動的火花。然而，因為倉促成軍，缺乏整體規劃，在建築、組織、人事任用、財源分配與層級輔導上留下稍許缺失，導致業務推廣無法與建築相提並論，為美中之不足。

　　學校圖書館之發展亦然，除了大學院校圖書館較具規模外，中小學圖書館皆在起步階段，離歐美教學資源中心理想甚遠。其中的行政組織、專業人員任用、職級、學校單位的重視與否皆影響圖書館業務推廣甚鉅。

　　今後，若能注意整體設計規劃，從上而下，由內而外的着手改善，並積極爭取立法、行政、人事、財力的支援，與謀求新媒體、新技術在圖書館的應用，開發圖書館業務的新領域，改善大眾對圖書館服務的觀念，必能使圖書館推廣業務更上層樓。

參考書目

圖　書：

1. 王國聰主編，圖書館學的沈思。（台北市：國立台灣大學圖書館學系74級畢業班，民國76年3月），240面。

2. 王錫璋，圖書與圖書館論述集。（台北市：文史哲出版社，民國69年4月），266面。

3. 尹定國譯，西洋圖書館史。（台北市：台灣學生書局，民國72年），328面。

4. 中國圖書館學會出版委員會編，圖書館學。（台北市：台灣學生書局，民國63年），546面。

5. 中國圖書館學會編，圖書館學參考書目及法規標準，增訂再版。（台北市：該會印行，民國75年7月），215面。

6. 沈寶環主編，鄉鎮圖書館的理論與實務。（台北市：台灣書店，民國78年），310面。

7. 李希泌、張椒華編，中國古代藏書與近代圖書館史料。（台北市：仲信出版社，民國73年），565面。

8. 張有武、陶晉生編，歷史學手冊。（台北市：食貨出版社，民國65年），222面。

9. 國立台灣師範大學圖書館編，兒童圖書館研討會實錄。（台北市：編者，民國72年5月），160面。

10.楊乃藩，<u>公共關係</u>。（台北市：允晨文化公司，民國 73 年 3 月），107 面。

11.趙　嬰，<u>公共關係研究</u>，增訂再版。（台北市：經世書局，民國 75 年 4 月），275 面。

12.鄭雪玫，<u>資訊時代的兒童圖書館</u>。（台北市：台灣學生書局，民國 76 年），223 面。

13.盧荷生著，「中國圖書館事業史」。（台北市：文史哲出版社，民國 75 年），259 面。

14.嚴文郁，「中國圖書館發展史——從清末到抗戰」，（台北市：中國圖書館學會，民國 72 年），272 面。

期　刊：

1.方世昌，「社教活動實施要點」，<u>第一次全國圖書館業務會議紀要</u>，（民國 61 年），頁 153-154。

2.王知言，「流動圖書館」，<u>民生報</u>，（民國 69 年 12 月 16 日），第 7 版。

3.王　岫，「美國圖書館協會一〇三屆年會國際書展追記」，<u>中國圖書館學會會務通訊</u>，第 40 期（民國 73 年 9 月），頁 3 - 4。

4.王振鵠，「我國圖書館事業之現況與展望」，<u>中華民國圖書館年鑑</u>（台北市：國立中央圖書館，民國 70 年），頁 11-18。

5.王振鵠、王錫璋，「圖書館事業發展概述」，<u>第二次中華民國年鑑</u>，（台北市：國立中央圖書館，民國 77 年），頁 1-26。

6. 王省吾譯，「世界上最進步的公共圖書館」，<u>中國圖書館學會會報</u>，第 9 期（民國 47 年 12 月），頁 3-4。

7. 王錫璋，「圖書館的公眾關係」，<u>圖書與圖書館論述集</u>。（台北市：文史哲出版社，民國 69 年 4 月），頁 111-118。

8. 王錫璋，「圖書館週獻言」，<u>圖書與圖書館論述集</u>。（台北市：文史哲出版社，民國 69 年 4 月），頁 119-124。

9. 中國時報，「法蘭克福書展」，<u>中國時報</u>，（民國 78 年 10 月 23 日），第 20 版。

10. 中國時報，「智障兒也是我兄弟，別可憐他，請教育他」，<u>中國時報</u>，（民國 78 年 2 月 27-28 日），第 7 版。

11. 中國圖書館學會會報，「中華民國第十一屆圖書館週活動輯要」，<u>中國圖書館學會會報</u>，第 32 期（民國 69 年 12 月），頁 43。

12. 中國時報，「書展型態的變」，<u>中國時報</u>，（民國 72 年 12 月 17 日），第 9 版。

13. 宋建成，「圖書館的公眾服務」，<u>國立中央圖書館館刊</u>，第 13 卷 2 期（民國 69 年 12 月），頁 65-70。

14. 社教雙月刊，「如何辦好文化中心活動」，<u>社教雙月刊</u>，第 5 期（民國 74 年 1 月），頁 2-13。

15. 李文能，「圖書館經營之策略──從公共關係的理念談圖書館之經營」，<u>台北市立圖書館館訊</u>，第 4 卷第 2 期（民國 75 年 12 月），頁 21-24。

16. 李　畊，「我國所企望的書展—為我國八十年代的出版品檢閱及評獎而設計」，<u>中央日報</u>，（民國 69 年 1 月 23 日），第 11

版。

17. 吳明德，「淺談大學圖書館的利用指導」，中國圖書館學會會報，第 36 期（民國 72 年 12 月），頁 117-126。

18. 吳慧中，「圖書館對老年人的服務」，圖書館學的沈思，（台北市：國立台灣大學圖書館學系 74 級畢業班，民國 76 年 3 月），頁 165-176。

19. 采　葛，「瑞士智障圖書館」，中國時報，（民國 78 年 12 月 8 日），第 30 版。

20. 林二白，「全國書展瑣談」，新書月刊，第 6 期（民國 73 年 3 月），頁 8 - 9。

21. 林美和，「兒童圖書館的利用教育」，兒童圖書館研討會實錄，（台北市：台灣師範大學圖書館，民國 72 年），頁 95-104。

22. 林秀玲等，「淡江大學學生利用圖書館之情形研究」，知新集，第 20 期，（台北市，淡江大學教育資料科學學系，民國 74 年 8 月），頁 71-92。

23. 林炳生，「巡迴活動的資料服務」，教育資料科學月刊，3、4、5（民國 61 年 4 月），頁 18-22。

24. 林煜宗，「台北市立圖書館推廣服務概況」，台北市立圖書館館訊，第 2 卷 1 期（民國 73 年 9 月），頁 17-20。

25. 周駿富，「中國圖書館簡史」，圖書館學（台北市：台灣學生書局，民國 63 年），頁 87-140。

26. 金梅仙，「讓書與孩子結合在一起——談如何拓展國民小學圖書館利用教育」，台北市立圖書館館訊，第 2 卷 2 期（民國 73 年 12 月），頁 12-16。

27. 洪　籌，「幫助民眾利用公共圖書館的方法」，中國圖書館學會會報，第 9 期（民國 47 年 12 月），頁 5 - 6。

28. 亮　軒，「說書展」，讀書選集第二冊，（台北市：中央日報，民國 69 年），頁 273-278。

29. 馬西屏，「製造形象、推銷印象──談圖書館的公共關係」，台北市立圖書館館訊，第 4 卷 2 期（民國 75 年 12 月），頁 55-57。

30. 胡述兆，「圖書館學的界說」，中國圖書館學會會報，第 41 期（民國 76 年 12 月），頁 47-64。

31. 胡懿琴譯，「圖書館的公共關係」，台北市立圖書館館訊，第 4 卷 2 期（民國 75 年 12 月），頁 45-49。

32. 紀登斯，「公共圖書館的社教活動」，第一次全國圖書館業務會議紀要（台北市：中央圖書館，民國 61 年），頁 152。

33. 高禩熹譯，「圖書館類型暨圖書館服務（上、下）」，教育資料科學月刊，第 16 卷 3 - 4 期，（民國 68 年 11-12 月），頁 33-40，29-34。

34. 徐開塵，「書展顯過新面貌，怎樣不走回頭路？」，民生報（民國 73 年 2 月 17 日），第 9 版。

35. 章以鼎，「談圖書館展覽與展覽計劃的擬訂」，書傭鴻爪，（台北市：學海出版社，民國 73 年），頁 67-99。

36. 章以鼎，「圖書館推廣服務」，彰化縣發展圖書館事業研習資料專輯，（彰化縣，彰化縣立文化中心，民國 75 年 10 月），頁 56-63。

37. 章以鼎，「論文化中心圖書館推廣服務的開展與舉辦展覽」，

圖書館事業合作與發展研討會會議紀要，（台北市：國立中央圖書館，民國 70 年 6 月），頁 107-129。

38.許令華，「圖書館與公共關係」，圖書館學的沈思，（台北市：國立台灣大學圖書館學系 74 級畢業班，民國 76 年 3 月），頁 45-56。

39.郭麗玲，「圖書館對盲人的服務」，教育資料科學月刊，第 15 卷 3 期（民國 68 年 5 月），頁 2 -12。

40.張祚倫，「怎樣指導學生利用圖書館」，讀書選集第三冊，（台北市：中央日報，民國 70 年 3 月），頁 273-278。

41.張樹三，「美國俄亥俄大學圖書館行政組織評介」，中國圖書館學會會報，第 39 期（民國 75 年 12 月），頁 3- 8 。

42.張錦郎，「談大學及公共圖書館利用教育」，台北市立圖書館館訊，第 2 卷 2 期（民國 73 年 12 月），頁 2- 6 。

43.陳晉賢，「圖書館推廣事業」，中國圖書館學會會報，第 6 期（民國 45 年 8 月），頁 6- 8 。

44.陳嘉宗，「書展的變革」，青年戰士報，（民國 69 年 4 月 22 日），第 10 版。

45.陸毓興，「談圖書館的宣傳工作：別人能我們為什麼不能」，中國圖書館學會會報，第 35 期（民國 72 年 12 月），頁 157-160。

46.曹愛蘭，「智障兒也有就養、就學、就業的權利」，中國時報，（民國 78 年 2 月 27 日），第 7 版。

47.黃淵泉，「論圖書館資料複製與著作權」，中國圖書館學會會報，第 25 期（民國 62 年 12 月），頁 12-14。

48.黃端儀，「大英圖書館的新面貌」，國立中央圖書館館刊，第 13 卷 2 期（民國 69 年 12 月），頁 71-77。

49.國立中央圖書館，「圖書館利用教育研討會特刊」，國立中央圖書館館刊，第 18 卷 1 期（民國 74 年 6 月），頁 59-132。

50.曾以文，「我國未來社會中老人問題及圖書館對其服務的探討」，圖書館學的沈思，（台北市：國立台灣大學圖書館學系 74 級畢業班，民國 76 年 3 月），頁 177-187。

51.曾淑賢，「台北市立圖書館民生分館兒童室推廣活動」，台北市立圖書館館訊，第 2 卷 1 期（民國 73 年 9 月），頁 21-22。

52.雷叔雲，「機會均等與全面參與——圖書館對生理殘障人士的服務」，中國圖書館學會會報，第 39 期（民國 75 年 12 月），頁 45-59。

53.華僑日報，「浙江圖書館建立監獄圖書流通站」，華僑日報，（民國 78 年 7 月 30 日），第 11 版。

54.楊國賜，「從社會學觀點談圖書館的公共關係」，台北市立圖書館館訊，第 4 卷 2 期（民國 75 年 12 月），頁 8-12。

55.葉　姍，「協助智障兒家屬走過辛酸路」，中國時報，（民國 78 年 2 月 27 日），第 7 版。

56.廖又生，「讀者就是顧客：論行銷觀念在圖書館經營上之應用」，台北市立圖書館館訊，第 4 卷 2 期（民國 75 年 12 月），頁 50-54。

57.鄭吉男，「談圖書館的公共關係」，台北市立圖書館館訊，第 4 卷 2 期（民國 75 年 12 月），頁 30-40。

58.鄭吉男，「談圖書館推廣服務」，社教雙月刊，第 7 期（民國

74 年 5 月），頁 21-25。

59.鄭恆雄，「圖書館的讀者服務」，圖書與圖書館利用法，（台北市：行政院文化建設委員會，民國 73 年），頁 106-108。

60.鄭雪玫，「如何拓展公共圖書館服務」，教育資料科學月刊，第 17 卷 2 期（民國 69 年 4 月），頁 7-9。

61.鄭雪玫，「兒童圖書館的公眾服務」，兒童圖書館研討會實錄，（台北市：台灣師範大學圖書館，民國 72 年），頁 41-61。

62.鄭雪玫，「兒童圖書館的服務」，資訊時代的兒童圖書館，（台北市：台灣學生書局，民國 76 年），頁 57-118。

63.鄭雪玫，「美國公共圖書館的兒童服務」，中國圖書館學會會報，第 32 期（民國 69 年 12 月），頁 37-43。

64.蔣復璁，「參觀全國圖書展覽後的感想」，中央日報，（民國 73 年 1 月 19 日），第 12 版。

65.劉春銀譯，「小學圖書館利用教育之最新導向」，中國圖書館學會會報，第 39 期（民國 75 年 12 月），頁 189-200。

66.劉春銀，「近年來圖書館調查簡介」，第二次中華民國年鑑，（台北市：中央圖書館，民國 77 年 12 月），頁 27-46。

67.劉春銀，「圖書館與圖書館週」，台北市立圖書館館訊，第 4 卷 2 期（民國 75 年 12 月），頁 41-44。

68.劉崇仁，「圖書館讀者服務」，圖書館學，（台北市：台灣學生書局，民國 63 年），頁 379-414。

69.劉繼漢，「怎樣利用圖書館資源」，讀書選集第 3 冊，（台北市：中央日報，民國 70 年 3 月），頁 248-255。

70.蔡佳蓉，「傳書香，播新知——推廣服務」，鄉鎮圖書館的理

論與實務，（台北市：台灣書店，民國 78 年），頁 211-239。

71.盧秀菊，「公共圖書館服務成效評估之方法與應用」，<u>中國圖書館學會會報</u>，第 39 期（民國 75 年 12 月），頁 17-34。

72.盧荷生，「漫談圖書館利用教育」，<u>台北市立圖書館館訊</u>，第 2 卷 2 期（民國 73 年 12 月），頁 7-11。

73.薛吉雄譯，「玩具圖書館」，<u>教育資料科學月刊</u>，第 15 卷 4 期，（民國 68 年 6 月），頁 40。

74.薛作雲，「圖書館的推廣事業」，<u>圖書資料學</u>，（台北市：編者，民國 68 年），頁 53-54。

75.顏秉璵，「圖書館的視聽教育推廣活動」，<u>台北市立圖書館館訊</u>，第 2 卷 1 期（民國 73 年 9 月），頁 7-10。

76.藍乾章，「訪視文化中心圖書館所見」，<u>中國圖書館學會會報</u>，第 36 期（民國 72 年 12 月），頁 43-53。

77.藍乾章，「圖書館推廣」，<u>圖書館經營法</u>，（台北市：編者，民國 67 年），頁 307-313。

78.顧　敏，「美國洛杉磯蒙特利公共圖書館的讀者」，<u>台北市立圖書館館訊</u>，第 3 卷 2 期（民國 74 年 12 月），頁 10-13。

79.顧　敏、江守田，「圖書館公共關係業務現況調查」，<u>中國圖書館學會會報</u>，第 41 期（民國 76 年 12 月），頁 139-152。

80.顧　敏，「圖書館資源示意圖」，<u>台北市立圖書館館訊</u>，第 2 卷 1 期（民國 73 年 9 月），頁 2-6。

臺灣學生書局出版

圖書館學與資訊科學叢書

國立中央圖書館出版品預行編目資料

圖書館推廣業務概論/許璧珍著，--初版--臺北市：
臺灣學生，民79

　　　7，179面；21公分--（圖書館學與資訊科學叢
書；20）

參考書目：面171－179

ISBN 957-15-0180-8(精裝)

ISBN 957-15-0181-6(平裝)

1.圖書館-推廣

023‧9　　　　　　　　　　　　　　79001271

圖書館推廣業務概論　（全一冊）

著　作　者：許　　　　璧　　　　珍

出　版　者：臺　灣　學　生　書　局

發　行　人：丁　　　文　　　治

發　行　所：臺　灣　學　生　書　局

　　　　　　臺北市和平東路一段一九八號

　　　　　　郵政劃撥帳號○○○二四六六八號

　　　　　　電話：三　六　三　四　一　五　六

　　　　　　傳真：三　六　三　六　三　三　四

本書局登
記證字號：行政院新聞局局版台業字第一一○○號

印　刷　所：常　新　印　刷　有　限　公　司

　　　　　　地址：板橋市翠華街8巷13號

　　　　　　電話：九　五　二　四　二　一　九

定價　精裝新臺幣二二○元
　　　平裝新臺幣一六○元

中　華　民　國　七　十　九　年　十　二　月　初　版
中　華　民　國　八　十　五　年　　三　　月　二　刷

ISBN 957-15-0180-8（精裝）

ISBN 957-15-0181-6（平裝）

圖書館學類圖書